U0029348

吳靜吉博士策劃

大眾心理館 407

每冊都解決一個或幾個你面臨的問題
每冊都包含可以面對問題的根本知識

大眾心理館 407

洪蘭作品集 7

順理成章：講理就好 7

——希望，給生命力量

作　　者——洪蘭博士
策　　劃——吳靜吉博士
主　　編——林淑慎
特約編輯——陳錦輝
內頁插畫——唐壽南

發 行 人——王榮文
出版發行——遠流出版事業股份有限公司
臺北市 100 南昌路二段 81 號 6 樓
郵撥／0189456-1
電話／2392-6899　　傳真／2392-6658
著作權顧問——蕭雄淋律師
2009 年 2 月 1 日　初版一刷
2016 年 2 月 1 日　初版八刷
售價新台幣 250 元（缺頁或破損的書，請寄回更換）
有著作權・侵害必究 Printed in Taiwan
ISBN 978-957-32-6432-3
ylib 遠流博識網
http://www.ylib.com　E-mail: ylib@ylib.com

洪蘭作品集7

講理就好7

順理成章

洪蘭博士◎著

《大眾心理學叢書》

出版緣起

王榮文

一九八四年，在當時一般讀者眼中，心理學還不是一個日常生活的閱讀類型，它還只是學院門牆內一個神秘的學科，就在歐威爾立下預言的一九八四年，我們大膽推出《大眾心理學全集》的系列叢書，企圖雄大地編輯各種心理學普及讀物，迄今已出版達二百種。

《大眾心理學全集》的出版，立刻就在台灣、香港得到旋風式的歡迎，翌年，論者更以「大眾心理學現象」為名，對這個社會反應多所論列。這個閱讀現象，一方面使遠流出版公司後來與大眾心理學有著密不可分的聯結印象，一方面也解釋了台灣社會在群體生活日趨複雜的背景下，人們如何透過心理學知識掌握發展的自我改良動機。

但十年過去，時代變了，出版任務也變了。儘管心理學的閱讀需求持續不衰，我們仍要虛心探問：今日中文世界讀者所要的心理學書籍，有沒有另一層次的發展？

在我們的想法裡，「大眾心理學」一詞其實包含了兩個內容：一是「心理學」，指出叢書的範圍，但我們採取了更寬廣的解釋，不僅包括西方學術主流的各種心理科學，也包括規範性的東方心性之學。二是「大眾」，我們用它來描述這個叢書的「閱讀介面」，大眾，是一種語調，也是一種承諾（一種想為「共通讀者」服務的承諾）。

經過十年和二百種書，我們發現這兩個概念經得起考驗，甚至看來加倍清晰。但叢書要打交道的讀者組成變了，叢書內容取擇的理念也變了。

從讀者面來說，如今我們面對的讀者更加廣大、也更加精細（sophisticated）；這個叢書同時要了解高度都市化的香港、日趨多元的台灣，以及面臨巨大社會衝擊的中國沿海城市，顯然編輯工作是需要梳理更多更細微的層次，以滿足不同的社會情境。

從內容面來說，過去《大眾心理學全集》強調建立「自助諮詢系統」，並揭櫫「每冊都解決一個或幾個你面臨的問題」。如今「實用」這個概念必須有新的態度，一切知識終極都是實用的，而一切實用的卻都是有限的。這個叢書將在未來，使「實用的」能夠與時俱進（update），卻要容納更多「知識的」，使讀者可以在自身得到解決問題的力量。新的承諾因而改寫為「每冊都包含你可以面對一切問題的根本知識」。

在自助諮詢系統的建立，在編輯組織與學界連繫，我們更將求深、求廣，不改初衷。

這些想法，不一定明顯地表現在「新叢書」的外在，但它是編輯人與出版人的內在更新，叢書的精神也因而有了階段性的反省與更新，從更長的時間裡，請看我們的努力。

順理成章

講理就好7

【目錄】

第1篇　燈要點在老百姓心中

第2篇 打開心胸，讓希望進來

第3篇　付諸行動，讓世界不一樣

第4篇　把我們放在我的前面

第5篇 善用大腦的可塑性

第6篇 教育投資越早越好

第7篇 讓孩子知道你愛他

推薦序

嚴長壽

作為一個讀者，有幸搶先拜讀了洪蘭老師的新作，忍不住要向還未閱讀的朋友們推薦：這真是一本好看的書，每篇故事皆精采，絕無冷場，令人不捨中途停頓，非一口氣讀完不可。除了讚佩作者的巧思妙筆之外，筆者還想藉此一角，向洪蘭老師致意。

對熟悉她的讀者來說，看洪蘭老師的著作就像聽她演講一樣，她總是能夠用最簡單的語言，將深沉的道理，以最輕鬆的方式鋪陳，引經據典而且言之有物，讓讀者馬上就能明白微言大義。有時候她是科學家，心理學的研究為她所說的道理提供了最佳的佐證；有時候她是歷史學家，歷史故事變成她給讀者提供的旁白、注腳；有些時候她是嚴格的政治批判家，勇敢而無懼地揭開政客們齷齪無恥的假面；然而最大多數的時間，她是一個有愛心、有熱忱、有智慧的教育家。或者應該說，她是一個讓人喜歡親近的老師與朋友，娓娓地為讀者提供人生的解惑之道。

當台灣民眾在絕大程度上被政治的口水、新聞的庸俗、及社會脫序的行為壓到喘不過氣的同時，所幸我們還能看到，洪蘭老師親自走到台灣每一個角落，一場又一場，對學生、對家長、對教育政策的執行者、對國家方向的主導者們詮釋她的理念。除了言語的說服之外，她也以最實際的行動，上山下海、身體力行地實踐她對貧困地區弱勢學童的照顧與關懷。

洪蘭之於台灣，並不只是一個多方奔走、搖旗吶喊的「啦啦隊長」。這個社會需要像洪蘭老師這樣的熱心之人，在台灣每一個角落奉獻而不辭勞苦。除此之外，筆者希望文化人及藝術家在台灣仍然有揮灑的舞台，也希望宗教家持續為台灣安定提供冷靜自省的力量。他們的同時存在就代表著台灣社會價值觀的漸趨成熟、同時也代表著一種支撐這塊土地的原生力量，台灣將因為這群人們的努力，而順理成章，繼續奮發生命的力量，持續邁向未來。

感謝洪蘭老師以及所有為台灣未來奮鬥的人，因為有妳，我們的明天更美好。

【推薦者簡介】嚴長壽，亞都麗緻旅館系統總裁，台灣觀光協會名譽會長。持續關懷觀光與台灣永續發展，同時擔任國內外二十個各種公益社會之代言人或社團董事。他的著作《總裁獅子心》、《御風而上》、《我所看見的未來》和《做自己與別人生命中的天使》等書不僅暢銷，而且屢屢獲選為年度最有影響力的書。

自序

從歷史上，我們知道教育是脫離貧窮唯一的機會，越是窮到無立錐之地的人，教育對他越是重要，一旦金榜題名了，從此就不必寄居古廟、用筷子把一碗粥劃成四份來裹腹了。就算在現代，因為勞力和腦力的報酬率不同，窮人有了教育就可以出賣腦力，揹高麗菜一天八百元，坐辦公室一小時八百元，就有機會谷底翻身、脫離貧窮了。其實國家也是一樣，人民的教育水準高，國家可以走精緻工業，用小成本賺大錢；人民教育水準不高，只能做代工，等待別人的委託訂單。所以在這一次的金融風暴中，許多人都回到學校去再充電，學習新的技能，同時也藉這個機會反省過去的生活，重新思考未來的人生路要怎麼走。

很多時候危機是契機。森林大火燒毀了珍貴資源，是罪魁禍首，但是在生物學上，它也是必要的世代輪替方式，舊的不去，新的種子沒有地方可長，甚至有些植物種子是要經過煙燻之後才會發芽的。每一個破壞都是另一個生機，尼羅河水的氾濫沖毀了農作物，但是也將上游的沃土帶了下來，使新的作物可以生長得更好。對於任何一個危機我們都要從各方面去解讀它，想辦法從厄境中看到別人看不到的生機，這樣你就會成功，因為你比別人早一步看到出路；這時厄運就不是天懲，而是上天使你再出發的機會。對於這一次的經濟不景氣，我們不該悲觀，應該利用它去擺脫過去不好的包袱，重新開始。

在不景氣的時候，另外一個可以穩定人心、安定社會，度過難關的就是社會關懷。許多政治人物都不了解社會支持的巨大效果，沒有把它當做疏困的第一步驟，事實上，推動社會關懷比發放消費券對人心的激勵或社會安定的影響還更大。

美國賓州費城附近有三個小城，它們一切條件都很相似，連醫療條件都相似，因為這三城共用一家醫院，大家都去那裡看病，同樣的醫生、同樣的護士。但是其中一個小城的居民心臟病死亡率偏低，五十五歲以上的沒人得心臟病，六十五歲以上的心臟病死亡率只有另外兩個城鎮的一半。這現象使醫生非常不解，調查報告出來，驚動了遺傳學家、心理學家、營養學家、社會學家等統統加入研究。最後發現答案不在飲食（他們都偏好義大利香腸和火腿，餐餐吃），也不在運動（他們很少運動，從不晨跑），答案在社會關懷。小城居民全是義大利南部的移民，牽親帶戚，不是宗親就是姻親，守望相助，雞犬相聞。他們往來頻繁，在街上見到一定停下來打招呼，從祖宗三代問候起，一直問候到家裡的小貓才進入正題。當一個社會禍福共享、同舟共濟時，「兄弟同心，其利斷金」，再大的困苦大家分擔下來，日子也就過下去了。

我記得這個實驗的報告中有一段描寫羅貝托這個孩子為什麼不逃學了。羅貝托一早起來，看到窗外陽光燦爛，這麼好的天氣待在教室上課太可惜了，就想不去上學而去釣魚。他背著書包往城外走時，碰到趕羊的，那個人叫他：「羅貝托，今天怎麼不要上學呀？」他編了一個謊話搪塞過去；走不遠又碰到一個砍柴的，問他同樣的話；當他碰到第三個人時，他就調頭回學校上學了。因為三個人裡面至少有一個人會碰到他媽媽，謊話一定會被拆穿，所以他只好乖乖去上學。像這樣的緊密社會結構是支持生命最有效的力量，也是在經濟不景氣、百業蕭條時，政府最要馬上做的地方。畢竟不景氣是暫時的，人生是長久的，只要能撐過去，即使現在看起來是山窮水盡，也會有柳暗花明的一天。人民能撐得過今天，國家就會有明天。

這本書的副標題「希望，給生命力量」用意就在此。人窮志會短，但是教育給我們遠見，使我們跳脫目前的窘況，看到出了困境後的未來。北宋政治家范仲淹在廟裡寄讀時也是窮到三餐不繼，但是讀聖賢書使他有大志，使他對未來有希望，因為他有抱負未展。希望真的給了他生命的力量，使其成為名留青史的偉人。

現在政府既然已經舉債發放消費券來對抗不景氣，何不再多舉一些債用在教育上，多請優良老師來輔導學生，改善教育環境，通盤發展教育呢？「酒肉穿腸過」——消費券吃完一宵就回歸到塵土了，「教育心中留」——提昇教育、開啟孩子的心智才是國家長久之計。期望這本書能在大家日子過得很辛苦的時候帶給眾人一些希望，看到明天的明天會更好。

第1篇

燈要點在老百姓心中

1 有空，多陪老人家說話

老人失智症是個可怕的大腦疾病，它剝奪一個人做為人的基本尊嚴，為了預防它，所有的國家都鼓勵老人閱讀、運動、下棋，做他最喜歡的事。

最近科學家發現，什麼事都不及陪老人家說話來得有效，因為說話時，大腦活化得最厲害：在說話時，前腦的工作記憶會活化起來，一方面把已準備好的字依序講出去，一方面把下面要講的字找出來，在工作記憶中排隊，預備上場。也就是說，我們說話不是先說一個字，再去搜索下一個字，我們說話是流利的、不中斷的。所以當我們要說話時，我們已經掌握要說的那句話的意義，一邊說，大腦一邊把下面要說的字送到工作記憶，前運動皮質區和運動皮質區告訴舌頭和嘴巴該怎麼動，話就透過發聲器官變成聲音出來了。

因為常用的神經迴路不容易萎縮，所以我們要盡量鼓勵老人說話，又因為說話要有對象，所以很需要志工去老人院服務，一方面陪他說話，促發他大腦的活化，另一方面，安慰他的晚年。

說話還有另一個好處，人在說話時，眼睛要看著對方的臉，不看是個不禮貌的行為。因此說話時，不但處理臉型辨識的視覺皮質區及梭狀迴要活化，連處理情緒的杏仁核也要加入，才會知道對方的表情是喜還是怒。另外，說話是聲音，聽覺皮質會活化，將自己說的話再聽進來分析一下，以確定沒有說錯話。因為說話動用到視覺、聽覺皮質區，又動用到各種高層認知功能來做語意、情意的分析，因此陪老人說話是讓他身心快樂最好的方法。

最近美國政府出計程車錢把獨居老人載到社區中心去學跳舞，因為跳舞要有舞伴，老人有伴說話、有舞可跳，大腦就有在動了。

人是群居的動物，有跟別人溝通的需求，人都渴望別人的關懷與肯定，從嬰兒到老人皆如是。我們看到一個許久沒有對象說話的人，逮到機會會一直說個不停，就曉得這個需求的強烈性了。研究發現與親密的人相聚時，血壓會下降。一個離群索居、關在家中不出門的人，雖然少了感染細菌的機會，但是他得感冒的機率反而比常跟朋友在一起的人多了四倍，因為社會關係會提升正向情緒，抑制腎上腺素的分泌，強化免疫功能。

為了降低慢性疾病如憂鬱性、老人癡呆症的社會成本，我們應該想辦法讓老人每天走出家門去與朋友聊天、運動，活化他的大腦，增加他的免疫力。人際關係是生命的原動力，有空，多陪老人家說話吧！（《人間福報》二〇〇八年九月二十二日）

2 二十一世紀是搶人才的世紀

政大有幾位名牌教授被挖角至大陸教書，緊接著台大醫院的元老級醫生到大陸看診，昨天又接到一位我極力爭取回來教書教授的信，說他終於決定關掉美國的實驗室了，但回的不是台灣，而是大陸，因為大陸給了他一個「不可拒絕」的條件，除了薪水、實驗室設備，還外加一位博士後研究員。我才知道北大、清華一年各有十八億人民幣的經費可用，所以好幾位國際知名的學者都被吸引去大陸了。

但是光有錢還不行，還得會用錢才行。上週香港科技大學在北京召開記者會，宣佈他們今年招了一五一名大陸學生，其中五名是高考狀元（他們的高考等於我們的大學聯考），兩名廣東、兩名北京、一名四川，而北京的文、理狀元都放棄北大，選擇去香港科大就讀。

這消息一出非常震撼，因為這等於是把北大、清華打成二流，不是第一志願了。他們選擇香港的理由是國際化視野、靈活的教學方式、師資（香港科大商學院全部教授都有世界著名大學的博士學位，其中百分之七十五有北美一流研究性大學的經歷）、高額的獎學金以及交換學生的機會（香港科技大學與全球一流的商學院有交換學生計畫，約百分之五十學生可去海外就讀一兩學期）。

這件事值得我們反思。十九世紀的財富在土地，二十世紀的財富在勞力，二十一世紀的財富在腦力，所以各個國家都盡力爭取最優秀的人才，不管他的膚色或國籍。幫助秦併吞六國、完成統一中國大業的人幾乎都不是秦人：公孫鞅、張儀、范雎是魏人，呂不韋是韓人，李斯是楚人，蔡澤是燕人。燕昭王用樂毅、劇辛，幾滅強齊，而樂毅、劇辛都是趙人；楚悼王用吳起為相，使諸侯患楚之強，而吳起是衛人。人才是國家強盛的關鍵，三國時劉備是孫吳、曹魏中最弱的一個，連棲身之地的荊州都是借來的，但是因為有諸葛亮，天下三分。人才是成敗最重要的因素，只有人有能力扭轉乾坤。

人往高處爬，水往低處流，這是自然現象。兩年前清華、北大曾去香港招生，讓香港備感壓力，擔心他們頂尖的人才流向內地。但是事實證明，只要有實力就不怕競爭，香港沒有因此而實行鎖國政策，不准大陸來招生；相反的，它努力提升自己的條件，每年四分之一的稅收用在教育上，而且只要大學能募到民間的錢，政府就再給配合款。上下齊心，兩年之內，香港科大的商學院就被評為亞洲第一，第一流的學生就自動上門了。

國際化是一個擋不住的世界潮流，二十一世紀是一個比實力的時代，意識形態當不了飯吃，必須吸引人才，提升台灣競爭力，我們才有明天。不論三通與否，政府都得面對這個全球國際化趨勢的挑戰，要不然我們不只會被邊緣化，甚至還會出局。（《天下》雜誌第三五二期，二〇〇六年七月二十七日）

3 心中的辮子

辜鴻銘（1857-1929）是清末民初的大儒，他生在馬來亞，母親是英國人，從小在歐洲長大，西學底子很深，但是中國學問也很好，德國在二次世界大戰前曾有辜鴻銘研究社，是少數在歐洲享有盛譽的華人。人家說他是「生在南洋，學在西洋，婚在東洋（太太是日本人），仕在北洋」，蔡元培請他去北大教書，他第一天走進教室，學生看見他五官一切都像西洋人，卻拖條大辮子就哄堂大笑，他正色說：「你們笑不過是笑我的辮子，我的辮子是有形的，一剪就沒有了，你們心中的辮子恐怕就沒有那麼容易剪掉了。」

的確，有形的東西容易去除，中正紀念堂的牆一毀就沒了，但是心中無形的辮子就很難剪去，心胸不放開，外面的新東西怎麼進得來？心牆高築就看不到外面的世界，也就不知道別人在做什麼，久而久之，就會變成井底之蛙，自我感覺良好，天下之大唯我獨尊了。

蒙古人攻打俄羅斯時，曾經大量砍伐樹木，將城用木柵包圍起來，城裡人不能跟外界溝通，也看不見城外的人在做什麼。接著蒙古人用石砮將火藥、熱油抛入城內，四處燃燒起來，城裡人卻不知對手是什麼樣的人物，對蒙古人的神秘性大為恐慌，士氣一沒有，城就破了，所以知己而不知彼對一個國家是很危險的。

歷史上，心胸狹窄的人做不了大盟主，只會記舊恨的人也成不了大業。最早跟著成吉思汗打天下的十九人來自九個部落，除了他弟弟，其他都是不同族的人，包括當年奪他妻子追殺他的蔑兒乞人，而且宗教信仰都不同，有基督教、回教、佛教，他們是憑著對鐵木真的忠誠，對彼此的誓言而結合在一起。

做領袖的人，說話一定要有信用，不可輕浮。鐵木真最後會做到成吉思汗，因為他心胸寬大不念舊惡，善用別人的長處，在二十五年之內完成了歐洲十字軍兩百年來未能完成的任務，直搗阿拉伯世界的心臟，一直到二〇〇三年才有非回教徒再度征服巴格達。

治國要靠政績，不是靠嘴巴。蒙古有句俗語非常傳神：「用嘴巴殺死的獵物搬不上馬，用言語殺死的獵物剝不了皮。」有沒有政績人民的肚皮最敏感，沒有飯吃要燒炭時，用什麼方法去轉移注意力都是沒用的。（《天下》雜誌第三六八期，二〇〇七年三月二十八日）

4 官員不守法，學生不知法

報登一個國中生看到同學請人吃零食、喝飲料，認為他是「有錢人」的小孩，放學後就向他勒索三百元花用，食髓知味後，開始勒索班上其他「有錢人」，不從就搶。被捕後，他說他家窮，父親有時沒錢給他吃早飯，他在校外所結交的「兄弟」告訴他「富人應該照顧窮人」，這社會不公平，富人的錢是搜刮窮人而來，搶他們沒關係。

看了這則報導我很憂心，這種羅賓漢式的劫富濟貧觀念現在在校園裡很流行，不及早導正，星星之火可以燎原，共產黨當年就是這樣起家的。

我小時候，父親不讓我看《水滸傳》，那時候還不流行「溝通」，父母都不多話，只說了句「不宜」就把書沒收了。當然道高一尺、魔高一丈，我還是站在書店，偷偷把《水滸》看完了。看完後，對吳用智取生辰綱等大為激賞，人生在世不就是除暴安良嗎?現在年事漸長，了解父親不讓我們在是非觀念未成熟、人格未成長前讀《水滸》的原因了。富人有錢若是他合法賺來的，別人沒有任何理由眼紅去搶他，哪怕是為了濟貧也不可，政府可用累進稅率的方法課他，再把這錢用來救濟貧民。沒有人可以把法律放在自己手上，這是法治的基本精神，一切事必須通過法律來執行。

只是這些話現在在台灣變成打高空，只適合在公民課本上教，不適用於實際生活。學生放眼望去，處處是執法不公的例子，執政者可以玩法，用各種理由硬不應訊，芝麻大的官員也敢目中無法，衝到質詢台前為所欲為，連他的直屬長官都拉他不下來。這一切壞榜樣經過電視台一再重播後，給孩子一個錯誤的觀念，原來長得高大、有力氣就可以爽，不然你要怎麼樣？好膽來抓呀！

霸凌現在校園中很嚴重，更嚴重的是學生不知什麼是法，他們一致認為有權就可以擺平一切，完全沒有體認到在民主社會，官員的權力來自人民授權，受到法律規範。當執政者自認自己比國家大，要改國號就改國號，要入聯就入聯時，他帶給孩子的觀念就是法律算什麼，「只要我喜歡，有什麼不可以」。目前整個社會對法的不重視、對是非觀念的混淆令人憂心。

美國第三任總統傑佛遜（Thomas Jefferson）在宣誓就職時並沒有像前兩任總統華盛頓（George Washington）和亞當斯（John Adams）一樣，華服佩劍。他穿著一般平民的衣服就職，因為他認為總統是人民的僕人。「僕人」這個字是從國父寫《三民主義》到現在已一百年了，只是這一百年中還不曾看到哪個官員像傑佛遜一樣自認是僕人。傑佛遜說：「糾正體制濫權最有效的方法是使人人可以受教育。」九年義務教育已經實施十幾年了，為什麼我們還停留在「朕即是法」的階段呢？（《天下》雜誌第三八六期，二〇〇七年十二月五日）

5 民生才是大問題

這次總統大選民進黨兵敗如山倒，輸了二百多萬票。有位讀者從海外寫電子郵件來問：不是說「肚子扁扁也要選阿扁」嗎？怎麼會輸得怎麼慘？這位讀者不了解「民以食為天」，「經濟」絕對是一個國家領導人時時刻刻要放在心上之事，因為在動物身上，我們看到了起碼的生活需求會塑造一個組織的社會問題和團體行為的演化。

在大猿中，黑猩猩和巴諾布猿的生活型態完全不同：黑猩猩是男性主控的社會，白天四散去覓食，夜晚才回來睡覺。黑猩猩會結黨營私，玩政治手段，因為在階層性的社會中，稱王的那隻阿爾法猿需要別的雄黑猩猩支持，牠用分享食物和與雌黑猩猩的交配權來酬謝牠朋友的忠心。但別的雄性黑猩猩也不是省油的燈，牠們也會集會結社，形成聯盟，伺機發動政變，把現在的王趕下去，自己享受權力。巴諾布猿就不一樣了，牠們是雌性當家，雌性非常團結，社會型態有點像瀘沽湖摩梭人的走婚，雄巴諾布猿個性溫和。

黑猩猩與巴諾布猿在一百五十萬年前到三百萬年前才分家（人類與黑猩猩在六百萬年前分家），所以牠們是很近的親戚，那為什麼在血統上很接近的親戚會發展出這麼不同的社會型態和生活方式呢？答案在牠們的謀生之道大不同。

牠們都住在剛果的熱帶雨林中，巴諾布猿住在薩伊河的南岸，黑猩猩住在北岸，牠們都吃水果及草本植物的嫩芽。但是北岸的森林中住著大猩猩，而大猩猩的食量驚人，所以黑猩猩的食物來源不及巴諾布猿那麼充沛。「衣食足而知榮辱」，巴諾布猿不必花很多時間覓食，母猿有很多時間在一起梳理、搏感情，結的盟可以維持一輩子，社會就比較和諧；黑猩猩必須花大部分的時間覓食，沒有時間交際，尤其雌黑猩猩必須帶著牠的嬰兒一起覓食，公黑猩猩是不管養育責任的，所以母黑猩猩沒有機會與別的媽媽結盟。

黑猩猩團體中主要壓力來源是性交配權，雌黑猩猩只有百分之五的時間可以受孕，所以可交配的機會不多，雄黑猩猩都搶著把自己的基因傳下去；而巴諾布猿有一半的成年期可以接受性行為，比牠們的排卵期長，牠們的性行為百分之七十五與生殖無關。雖然雄巴諾布猿的團體也有階層性，但是資源多就不用那麼緊張的搶機會，也因為雄巴諾布猿並不知道誰是小猿的爸爸，所以牠們不會殺嬰，不像黑猩猩一登上王位，就要把前王子女趕盡殺絕。

黑猩猩的性生活相當無趣，只是為了傳宗接代，巴諾布猿卻好像讀過古印度的愛經，所以靈長類學家德瓦爾（Frans de Waal）說：「黑猩猩用權力解決性的問題，巴諾布猿用性解決權力的問題。」

單一民生問題就能使兩個近親發展出這麼不同的社會型態，執政者豈可不注意民生？（《天下》雜誌第三九四期，二〇〇八年四月九日）

6 文化是我們最大的觀光加值

這次總統大選，許多海外僑胞都專程回來投票，我見到許多久不見面的朋友，還藉機開了同學會。但是大選完已經一個月了，我仍不時在街頭碰到這些同學。問他們為何流連忘返，大家都異口同聲說，台北是華人生活圈中生活機能最強的都市：在台北，幾乎各國各地的美食都可以吃到，甚至比當地的還精緻；可以看到世界頂級的表演和音樂會，又有二十四小時的書店和豆漿店；而且開車一小時就可以到陽明山賞花泡湯，到貓空喝茶，到宜蘭吃糕渣看海。他們都說世界上沒有哪個城市有如此的生命力。

我聽了很高興，立刻送給他們嚴長壽先生的近著《我所看見的未來》。他們都在各個領域學有專精，回國定居對台灣有利。有一位同學在一夜之間看完了厚厚三百頁的書，打電話來約我吃飯，他有話要說。

他說他非常贊成嚴先生的看法，台灣必須用五千年的正統中華文化來吸引觀光客。觀光必須與文化結合才行，因為現在的觀光客已經不再是過去那種，一個禮拜玩七個國家，走馬看花型的，現在是選定一個地方深度旅遊的。他說文化是我們最大的加值，他不諱言，他回來有一部分原因是台灣四月份有崑曲公演，他要等到看完了戲才回美國。

我聽了好生感慨，他不知道扁政府已在三月時，悄悄的把國光劇團這個中國傳統戲劇唯一的表演團體從教育部挪到文建會，並把它從三級單位降到四級，變成文建會外派單位，失去了經費與人事自主權。

一個表演團體失去了經費與人事自主權，就失去了生存的命脈，注定要滅亡了。一個有為的政府，必須能體會文化中的藝術精髓，盡力保證它的自主性，才會有更高一層的藝術意境，而不應該因意識型態作祟，以行政方便為由，去扼殺它。

藝術是沒有國界的，德國在二次世界大戰時，演莎士比亞的戲劇勞軍，沒有人罵演出者是賣國賊。戲劇是民族文化最精華的表現。有一次日本的能劇來台演出，全場觀眾睡倒一半，但是邀我去的日本朋友卻很自豪的說「這是日本文化最高的表現」。

國劇意境之美是沒有任何其他劇種可比擬的：舞台上空無一物，但是演員的一舉手、一投足，你意會到他開了門，跨過了門檻，爬上了樓梯，進到了內室；他身體的上下擺動讓你了解他在擺渡；一揚手，他又上馬了。國劇的身段美不勝收。

中國過去文盲百分之九十，「忠孝節義」的傳統價值觀能傳下來，戲劇功不可沒。而且因為歷史的因緣際會，台灣成為保存中華傳統文化唯一的勝地，更何況台灣要振興經濟，發展無煙囪工業，還得靠五千年深厚的文化吸引觀光客上門，怎麼自己把這隻金母雞殺掉了呢？真叫人欲哭無淚。

沒有任何一個例子，比這個更讓人了解「錯誤的政策比貪污更可怕」了。（《天下》雜誌第三九六期，二〇〇八年五月七日）

7 如果子產是我們的外交官

最近發生外交醜聞，十億新台幣被掮客和政客以建交為名「搓」不見了。這件事和一九八六年，美國雷根總統（Ronald Reagan）時發生的伊朗軍售弊案（Iran-Contra Scandal）頗有雷同之處。諾斯（Oliver North）也是總統身邊的人，也未經國會同意，就將賣武器給伊朗的錢轉去援助尼加拉瓜的諾瑞加（Noreiga），醜聞爆發後，全國譁然，雷根總統的聲望一夕之間掉到谷底。

參與調查這樁弊案的參議員米契爾曾說過一句名言：「Good ends cannot justify the bad means.」即不能用愛國做藉口進行不合法的勾當，一個不合法的行為，不論目標多麼崇高，一定會 backfire。巴紐案正是驗證了這句名言。

弱國無外交，自古皆然，但是用錢買友誼不是辦法，「以財交者，財盡則交絕」。其實小國不一定一籌莫展。春秋戰國時，鄭國是小國，夾在晉、秦、楚之間，情況跟台灣很像。子產是鄭國的大夫，他內以禮法馭強宗，外以口舌折晉、楚等列強，使鄭國數十年無兵災。大國對小國通常有一種優越感，如果小國逆來順受，大國就變本加厲，只有義正辭嚴、據理力爭，才會被人看得起。小國第一要做的便是厲精圖治，自己要先站穩，說話才會有力量。所謂外交本來就是鬥智，三個人抬不過一個理字，據理力爭還是有贏的機會，但是走旁門左道不但一定輸，而且會令別人看不起。

有一次，子產與鄭伯去晉國進貢，晉平公不見他們，讓他們住在狹小、連車子都拉不進去的行館。子產叫人把行館的圍牆拆掉，把車子拉進來，晉國派人來理論時，子產說：「我們處在大國之間，動則得咎，時時要順應你們的要求，如今搜刮了全國的財富來進貢，你又不接見我們，東西沒有交出去，我們要負責任，所以只好把牆拆掉，讓車子進來，以免貨物損壞。以前晉文公做盟主時，他自己住的宮室很小，但是給諸侯住的行館很大，現在晉侯住的銅鞮宮數里大，而給諸侯住的行館像給徒隸住的地方一樣小，連車子都進不來。為了保護貢品，我只好把牆拆了。」一席話說得趙文子無話可答，只有認罪說「信，我實不德」。結果大國諸侯反而因為子產後來才有好的賓館可以住。

楚公子圍要娶鄭國公孫段的女兒，帶了大隊人馬想藉迎親之名滅鄭。子產不肯讓他們進城，說：「小國無罪，恃實其罪。」萬一大國包藏禍心，讓他進城豈不是被他滅了？子產語氣強硬，不惜決裂，楚國知道奸計已被看破，只好放棄。

小國做外交本來就困難，但是歷史上，藺相如、子產、晏子、諸葛亮等皆用他們的學識、智慧、膽識，替他的國家辦了漂亮的外交，不辱使命。

成功的外交是靠自尊自強，子產把鄭國治理得很好，使列強不敢欺負鄭國，他死時，孔子出涕說「古之遺愛也」。我們的外交官如果個個像子產，又怎麼會有巴紐醜聞出現呢？（《天下》雜誌第三九七期，二〇〇八年五月二十一日）

8 燈要點在老百姓心中

餃子店的老闆常用舊報紙包冷凍水餃。我在煮餃子時，便順便看一下報紙，不浪費時間。有一天看到一篇讀者投書〈生命最後的尊嚴〉，原來一位男士失業，一家四口用一百元過一天，這位讀者去他家時，偶然在他的撲滿裡看到一枚五十元的硬幣，就拿起來搖一下，男主人靦腆的說：「那是生命最後的尊嚴。」當時，他並沒有聽懂這句話的意思，以為表示家裡還有點儲蓄，後來在電視上看到這位男士帶著孩子燒炭自殺了。他去到他家，在臥室看到那個撲滿空了，桌上有張發票：炭，五十元。他才了解那天「生命最後的尊嚴」是什麼意思。

這真是悲慘，令人不勝唏噓，就像上戰場的勇士留最後一顆子彈給自己一樣，讓自己能有尊嚴的離開這個世界。

翻過報紙，另一面是財大氣粗的大老闆擁著兩位美女，說他們公司尾牙花七億，頓時覺得這版面很刺眼，急忙跳過去，真是朱門酒肉臭、路有凍死骨。再翻過去，看到今年花燈要花一・三億，政府要薄海歡騰、普天同慶。這時只覺很憤慨了，人民已經在用最後的五十元維持他的尊嚴了，政府卻還拿著人民的血汗錢在作繁華的假象，像這樣的新聞，實在是看不下去。政府的錢應該用在為老百姓謀福利上，最基本的福利就是人人有飯吃。飯都沒得吃，點什麼花燈呢？燈應該點在老百姓的心中，不管這個世界多黑暗，只要老百姓心中是亮的，這個國家一定有前途；假如表面上歌舞昇平，老百姓心中泣血，這假象又能維持多久呢？

從神經學上，我們知道要改正一個行為，不是說NO就可以使這個行為不發生，還必須找出要的行為，用要的行為取代不要的行為。今天政府只是宣揚不要自殺是沒有用的，必須替人民找出一條生路他才會不自殺。目前政府有兩件事必須做，一是整頓治安，許多人被地下錢莊逼得走投無路，或一生積蓄被騙光而選擇自殺，政府應該大力掃除詐騙和討債集團，先把前門的狼跟後門的虎去除；然後從務實的教育做起，給人民一技之長。

現在世界的潮流是非技術性的產業外移，移到印度、巴基斯坦、越南等工資低廉的地方，剩下來的是技術性的產業。國家的經費應該投資到提升國民的技能上，以維持國家的競爭力。我們的教育沒有趕得上時代的需求，政府常說財政困難，要削減教育經費，關掉偏遠小學，但是卻有錢辦花燈來討好選民，專做煙花一現即失的「燒錢」事。我們應該把這些錢用到基礎教育上，使國家強起來。「富在山中有遠親」，當國家富強時，不論叫什麼名字都有人上門來做生意，莎士比亞不是說「名字是什麼，玫瑰換成別的名字一樣的香」嗎？把納稅人的錢用到教育上，提升國家的競爭力，奧地利、芬蘭、愛爾蘭都是我們的榜樣，國家強了，人民有飯吃了，燒炭自然就絕跡了。

希望在這新的一年，政府能以蒼生為重，用務實的行動點亮老百姓心中的燈。

（《遠見》雜誌二〇〇七年四月號）

9 透明到污垢無處可藏

芬蘭最近在國際的評比上頻頻奪魁，不但在經濟上快速成長，國民所得節節上升，失業率零，就連學生的閱讀識字能力也比別國高。因為芬蘭地廣人稀，只有五百萬人口，又有一大片土地在北極圈內，全年有一半的日子是在冰雪中，看來不適合人居住，所以它的崛起著實令人好奇，各國紛紛組團去芬蘭考察。它的外交部長不堪其擾（恐怕也不勝其煩），因此編了一本小冊子《芬蘭的一百個社會創新》（*100 Social Innovation From Finland*，中譯本天下雜誌出版），請芬蘭建國有功的人都來寫一下他當年是做了什麼豐功偉業，造成現在的芬蘭。

看完全書後，我深深感到政治和法律的重要性，一個好的法律應該站在時代的前端，高瞻遠眺，引導社會前進；如若不然，它會成為國家進步的絆腳石。我們現在就深受法律落後，被綁手綁腳，不得施展抱負的痛苦。

芬蘭會崛起，源自它政治的清廉，它的國會議員在國會中所說的每一句話都被記錄下來，法案是投贊成或反對票，也登在網路上，讓所有選民一目了然，決定下次還要不要再投給他。當他們的政治可以透明到如此地步時，所有的污垢都無處可藏，政治一清明，事情就好辦了。

我們現在國會雖有開會紀錄，卻沒有上網，老百姓不知道為民喉舌的人講了什麼話，最重要的是他的投票紀錄沒有上網，我們不知是否所託非人，他有沒有口是心非，跟選民說一套，回到國會又是一套。

芬蘭曾經很窮，二次世界大戰後，要付給俄國戰後賠款。我以前念研究所時，有一個同學來自芬蘭，她節省到連我們中國人都自嘆不如，她的午餐永遠是兩片麵包夾一片起士，沒有一點肉。芬蘭人有志氣，戰後餐餐吃香腸，勒緊褲帶，把國債還清。他們窮成這樣，但是國民居然願意捐年收入的百分之一做公益，連總統大選的辯論，都被問到有沒有捐款（兩人都有）。

我一邊看，一邊問自己，我們中國人做得到嗎？不要說把自己的薪水捐出來，就連不該自己的錢都要五鬼搬運，借人頭弄到瑞士去放著。中研院的學者們，研究一下吧，平平是人，為什麼我們的私心這麼重？自己撈還不夠，還得替子孫撈。

這本書最好的地方是過去執過政的每一個官員都得寫，你在位時做了些什麼事，使得今天的芬蘭不一樣了。這種所謂的 accountability 非常重要，為官不是在位時揣摩上意，下台後一問三不知，若是司法或監察院來調查，就立刻辦退休：我不是公務員，我有病，會昏倒，會成植物人，你們誰敢負責？

我們若能做到議會透明化，每幾年檢討官員政策的效果，台灣也能像芬蘭一樣快速崛起，畢竟我們每天都能見到陽光，不必在零下三十度的天氣在戶外唱歌劇。

（《天下》雜誌第四〇七期，二〇〇八年十月八日）

10 絕食：為公義？為私利！

在自助餐店碰到一個教過的學生，因為他是回教徒不吃豬肉，所以我記得他，看到他端了滿滿一大盤菜，就忍不住提醒他：「你們的先知不是說：少吃飯，身體會舒服；少說話，舌頭會舒服；少煩惱，精神會舒服；少犯罪，心靈會舒服嗎？為什麼吃那麼多呢？」他笑嘻嘻的說：「老師，我這學期運氣不好，考試都沒猜中題目，如果我二一當掉了，我就去老師家門口絕食，我現在得多存一些抗議的本錢。」我聽了啼笑皆非，問他：「你抗議什麼？」他說：「中華民國的國民有受教育的權利，學校不可以把我當掉呀！」

我正要說這是什麼歪理時，突然想起，小時候，我家對面住的是一位台大病理系的教授，因為病理是必修課，考不過就得退學，就有家長帶著孩子跪在老師家門口，不給他過就不起來。我父親看了很不以為然地說：「這是要脅，如果現在讓這學生過了，以後病人會死在他手上。」沒想到現在政客動不動就絕食，濫用到連學生都覺得這是一個逼迫大人就範的好方式：在民主時代，沒有人敢讓人民絕食而死，學校一定會屈服。此風一長，就變成為了爭自己的利益，失去了社會的公義。

清朝紀曉嵐在《閱微草堂筆記》中有一則故事：一位在衙門司刑名四十餘年的官吏，生病快死時，在燈下彷彿看到有厲鬼，就大聲喝斥：「我存心忠厚，從不曾妄殺一人，你來這裡做什麼？」睡覺時就夢到數個浴血的厲鬼泣曰：「君只知刑酷積怨，不知忠厚也能積怨，當一個人被人殺害，將死未死之時，楚毒萬狀，孤魂飲泣，銜恨九泉，只希望強暴就誅，一申積憤。而你只見生者之可憫，不見死者之可悲，刀筆舞文，曲相開脫，遂使凶殘漏網，白骨沉冤，你自己設身處地想一想，如果你無罪無辜，受人屠割，而別人改重傷為輕傷，改多傷為少傷，改理曲為理直，改有心為無心，使切齒之仇從容脫械，仍縱橫於人世，你難道不會感到怨恨嗎？那些被枉死者，不仇你會仇誰呢？」這個人一驚，當夜就過世了。

人習慣只見眼前，所以才會有「只見新人笑，不見舊人哭」的話，但是司法是社會正義最後一道防線，不能只見他現在之可憫，忘記他行兇時的殘暴。現在世事紛擾，沒有是非，凡事不訴諸理性，動不動就抗爭，聲音大者就是贏，這是很不對的。孩子的模仿力很強，有樣學樣，假如人人都把法律放在自己手上，台灣很快會變成暴民之島，而且姑息會養奸，過去辛苦三十年累積的形象就會一下子敗光了。

在全世界，只有在法律走不通的政治迫害才有人絕食，從不曾有人因貪腐等法律可判是非的問題而激烈抗爭，這其實是干擾法律的裁判了。一旦台灣不再被國際視為理性的國家，商機就不再。社會的不穩定會直接影響到國家的經濟，而國家的經濟會影響到每一個國民的生計，主事者不可不慎。（《天下》雜誌第四一一期，二〇〇八年十二月三日）

11 執法要攻心為上

最近小偷猖獗：有人回家覺得怪怪的，仔細一看，鐵門給偷走了；有騎士跌落下水道口，因為蓋子被偷了；更有人連性命都不顧，偷電纜，還敢偷高壓電的電纜。有個小偷把路燈電纜偷走，使高速公路入口一片黑暗，駕駛人一時不察，逆向行駛，四死一傷；又有農民一個月內灌溉的馬達被偷十次，抓到小偷後，忍無可忍「打給他死」；連門口有警衛的朋友家也失竊了，小偷把她母親留給她的唯一紀念品翡翠耳環給偷走了，使她哀傷不已。

對於現在治安之壞，有人說亂世應用重典，但是用重典還得有方法。漢武帝末年，盜賊亂起，朝廷頒「沈命法」曰：「群盜起，不發覺，覺而弗捕滿品者，二千石以下至小吏主者，皆死。」結果小吏畏誅，雖有盜不敢說，官府當然也不敢說，上下相匿，盜賊就越來越多了。所以用重典還得先學一下心理學才會有效。

唐朝時，崔安潛為西川節度使，他詰盜的方法是把府庫的錢搬到市場上，讓每個人都看到，然後出榜示說：「告捕一盜，賞錢五百緡，侶者告捕，釋其罪，賞同平人。」

不久果然有人來告發了，被捉的強盜很不服氣的說：「他與我一起做強盜做了十七年，每次搶來的東西都平分，你為什麼只捉我一個人？」崔安潛說：「你既然知道我有出榜示，你為什麼不捉他來？如果你捉了他來，那麼現在就輪到他死，你受賞了。你既然是先被他捉到，你死還有什麼話說？」命人當著強盜面給出首的人賞金，然後殺盜於市。這樣一來，強盜和他同黨之間立刻起矛盾，彼此互相猜疑，既然是先出首者贏，不忍出首同伴又怕被同伴出首的人就連夜逃走了，「夜不及旦，散逃出境」，境內就沒有一個強盜了。

一九五七年，心理學也有一個「囚犯的兩難」的實驗，兩個搶匪被捉到，檢察官將犯人隔離審問，給他們一個簡單的選擇，如果兩人都認罪，檢察官求刑八年，假如都不認罪，他只能以非法擁有槍枝罪，各關一年，如果甲認罪了、乙不認時，甲就是政府的證人，可以緩刑，乙就要關二十年，反之亦然。這是心理學中社會互動的一個著名研究。人都知道哪一種選擇對他最好，但是因為驚恐，不信任對方，會選擇演化上「不適應」的行為出來。

立法、執法時都要考慮到對象是「人」，要攻心為上，利用人性的弱點使強盜窩裡反，自相殘殺，這樣可以不費一兵一卒。切不可拘泥於條文，像報上登檢察官說性騷擾的鹹豬手沒有摸到胸部，只摸到肋骨就不予起訴，如此就失去了法律的公義性。

一個地方治安不好，有很多原因，「飢寒起盜心」是一個原因，官官相護，使做壞事者逍遙法外，也是一個原因。最大原因是人民沒有了羞恥心，如前幾天報上登的大學生詐騙獨居老人四百萬，還用手機自拍拿著贓款的得意樣子，炫耀於他人。像這樣禮義廉恥都無，才是現在社會治安敗壞最大的原因。既然是攻心為上，政府請拿出辦法，從人民的心中重建維持社會秩序的禮義廉恥。（《遠見》雜誌二〇〇八年一月號）

第2篇

打開心胸，讓希望進來

1 戰爭會摧毀人性

我生在二次大戰結束不久，雖然不曾親身經歷戰爭，但是父母的餘悸猶在，小時候常聽到父母講逃難時，日本人在後面追，老百姓隨著國軍撤退，一路上拋兒棄女的慘狀，所以對戰爭一直有無名的恐懼。一九六九年去美國留學時，正碰上越戰打得如火如荼，每天看到學生示威反戰、燒國旗，對暴動也深覺恐懼。因為了解戰爭的殘忍、戰亂的痛苦，我對平安的日子很感恩，也對政客挑撥族群對立、種族仇恨之事深不以為然，覺得要化解這種仇恨最好的方式是看書。

尤其是現代不曾接觸過戰爭痛苦的年輕人，我很想找書給他們看，讓他們了解戰爭是人類文明徹底的毀滅，不但是歷代古物的毀滅，還是人性的摧殘，不可輕易言戰，所有經過戰爭的人從此不一樣了。最近看了一本《燦爛千陽》（*A Thousand Splendid Suns*，中譯本木馬出版），描述阿富汗內戰及被蘇聯佔領時，兩個女人忍辱求生的故事。這本書的作者是《追風箏的孩子》（*The Kite Runner*，中譯本木馬出版）的作者，他文筆細膩使人不知不覺就走入了書中，融入了角色，象悲亦悲，象喜亦喜。書名「燦爛千陽」是波斯詩人薩伊（Saib-e-Tabrizi, 1601-1677）歌詠喀布爾的詩：「數不盡照耀她屋頂的皎潔明月，數不盡隱身她牆後的燦爛千陽」，我們看到千年古都在戰火中摧毀殆盡，三個一起去上學的好朋友，走到一半，一顆砲彈打來，從此天人永隔。

我們一向對中東的國家不了解，這本書可以填補一些空白，這本書從一個私生女瑪利安的出生開始，描述阿富汗鄉下女性的生活：她十五歲被迫嫁到離家六百五十公里的首都喀布爾去，跟年長四十歲的丈夫過著老夫少妻的悲慘日子。在這二十七年中，她丈夫另娶了一個十六歲的孤女萊拉，瑪利安與萊拉從「搶走我丈夫的仇人」到情同母女，最後她為萊拉犧牲了生命。從書裡我看到人性的光輝，也看到我們的祖先為什麼能度過冰河時期的災難，活了過來，原來人類竟是這麼的能夠逆來順受，忍耐力這麼強，只要有一點希望都能活得下去。

現在的年輕人需要了解有父母呵護的生活是多麼幸福，古人說「寧為太平狗，莫作亂離人」，真是很對，心中應該時時要感恩。多讀書可以改變年輕人的觀念，讓他們珍惜現在，感恩所曾擁有的。（《人間福報》二〇〇八年二月四日）

2 生命必須往前看才活得下去

開學了，學生陸續回到學校，我問學生年過得怎麼樣？一個女生告訴我：過年沒有回家，自己一個人留在宿舍裡。問她留在宿舍裡做什麼？她有點不好意思的說：「想自殺的方式。」我聽了真是嚇一跳，問她有無什麼困難？她說：「也沒有，只是每天過同樣的日子過煩了，如果往後的五十年都得這樣過日子，不如現在就結束掉，多活無益。」後來跟精神科的幾位老師談起來，才發現現在年輕人自殺不必有原因，不爽就退場。聽得我心驚肉跳。

達文西說：「快樂與痛苦是連體嬰，背連背，誰也少不了誰。快樂的基礎是痛苦的勞動；痛苦的基礎是虛榮的快樂。」這句話真是對極了，沒有流過汗就不會體會到豐收的甘美。最主要是，在辛苦流汗付出的同時，也帶來了生命的意義。我小時候，所有同學的父母都是日出而作，日落而息，所有同學放學都要回家幫忙，不能流連學校，因為家裡需要你的那一雙手。那種被需要的感覺，常讓自己恨不得快快長大，分擔父母肩上的擔子。每過一日，自己又長高一點，離幫助父母的日子又近一點，心中是期待，不是絕望；父母也是一樣，日子過去，孩子長大，成家立業，卸下擔子完成祖先傳宗接代的使命。或許現在生活太優渥，反而使孩子失去奮鬥的目的。

中國人還有一個特性就是比較悲觀，常喜歡不斷的檢討，想自己的缺點。其實，古人老早就說過「成事不說，遂事不諫，既往不咎」，已經發生的事就不要再浪費力氣去說它，要將注意力放到未來。如果牛奶已經打翻了，花很多力氣去找出是誰害你的，或是每天去哭已打翻的牛奶都是白浪費力氣的事。在神經迴路上，我們看到每天活化的迴路會越來越大條，而它周遭的其他小路會因為太久不用，「被修剪掉了」。牛角尖越鑽越深，最後就不可自拔了。所以丹麥哲學家齊克果（Soren Kierkegaard）有句非常好的話：「生命只有走過才能了解，但是必須往前看才活得下去。」

思想也是一種習慣，習慣了往前看，自然就沒有時間去煩惱那些已經成歷史的事。從研究上，我們知道情緒維持幾秒，心情維持一天，性情終身打造。我們可以從情緒著手，改變心情，穩定成性情。米爾頓（John Milton）在《失樂園》（*Lost Paradise*）中寫到：「心情可以使人在天堂過得像地獄，或是在地獄中過得像天堂。

」孔子說顏回「一簞食一瓢飲，居陋巷，人不堪其苦，回也不改其樂」，指的正是這個。

從自己的心打造起，快樂就在身邊。老子《道德經》說「既以為人己愈有，既以與人己愈多」，新的一年，不妨就從這句話做起，替自己找到生存的目的。（《人間福報》二〇〇八年三月二十四日）

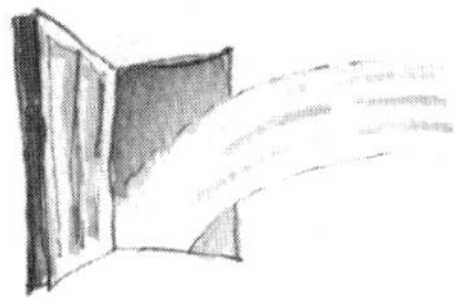

3 合力找回失落的愛心

最近在林口看到一隻受虐狗，雖然獲救，但嘴被人用橡皮筋緊套的勒痕仍然存在，深深的印子，看了令人不捨。這隻小狗沒有因為被人虐待而懼怕人，看到人仍然搖尾相迎，更加令人不捨。不能相信有人會如此殘忍，狠得下心虐待這麼可愛的小狗。

無獨有偶，昨天打開報紙，發現一則更駭人聽聞的消息：有學生用水泥磁磚碎片、棍棒追戳一隻小狗，還將這個過程拍成影片掛上網路，恬不知恥的訂名為「我愛打狗」，完全無視瑟縮發抖、夾著尾巴四處逃竄又無處可逃的小黃狗。看了這些圖片心中非常氣憤，心想是什麼樣的父母教養出這麼殘忍的孩子？幸好，這個人神共憤的行為引起台美網友的憤慨，聯手組凶，找到了住在台灣南部的簡姓兄妹。這個殘忍的「凶手」竟然辯說是「一時好玩，想博君一笑」。我簡直不能相信我們教育出來的高中生竟然如此無知、幼稚又冷血。虐待動物來博君一笑？這是什麼樣的心態？我們的生命教育是教到哪裡去了？

我不認為這是一樁偶發事件，道個歉就沒事。這是一個從教育部長到校長、老師、父母都該檢討的事件。教育的目的本該是讓人超越動物的本性，今天這對兄妹的行為連動物都不如，因為動物還不會虐待動物，動物獵食是為了生存，一隻吃飽的獅子並不會去追殺羚羊，只因為牠比羚羊強悍。多年來我們整個教育的重心只在智育，完全忽略德育和美育，加上台灣體罰嚴重，連忘記帶聯絡簿都要挨打。我不懂，難道我們大人自己沒有忘記帶文件的經驗嗎？為什麼一點小事就要打孩子？一個常挨打的孩子也會動不動就打人，更何況太多體罰會令學生心中生恨，這個恨使學生出氣在比他更無助的動物身上。

在實驗中，我們看到受虐兒長大成為施虐者，一個從小被打的受虐兒，他的胼胝體較小（這是聯結兩個腦半球的橋梁），小腦皮質的血流量少，管記憶的海馬迴神經細胞萎縮。這些大腦組織的損壞會影響他的行為，而現在腦造影實驗又看到這些殘忍行為會回過頭來改變他的大腦。這種惡性循環會使我們將來要付出很大的社會成本，許多連續性殺人犯小時候都有虐待動物的紀錄。

這件不幸的事是冰山一角，生命教育必須從實際體驗中著手，此外，必須讓學生廣泛閱讀以產生同理心。一個美國中學老師告訴我，很多學生在沒有看過《梅崗城故事》（*To Kill a Mockingbird*，中譯本遠流出版）之前，對黑人很歧視；看完後，知道他們也是人，只因膚色跟別人不同，受到這種非人待遇，都能改變過去歧視的觀念。台灣生命教育的落實刻不容緩了，我們不願再看到虐狗、虐童的新聞了，請大家合力來找回這社會失落已久的愛心。（《人間福報》二〇〇八年四月七日）

4 做一些比生命更長久的事

一位在國外進修的學生寄了張賀年卡來，信裡開玩笑說他被我們騙了，學問原來是臭的。原來他在開刀房實習，用電刀劃開病人的脂肪組織時，會冒出臭的青煙，但手術檯上躺著的卻是國家科學院的院士，某學術領域的大師。他說學問再大，仍是一副臭皮囊。雖是玩笑話，卻讓人深思，讀了一大堆書，如果沒有用出來，滿腹經綸化成塵土，的確是白走人世一遭。難怪古人把懷才不遇、壯志未酬當做讀書人最大的不幸。

不過成功的定義有很多種，對自己有利的叫「成功」，只有對別人也有利的才叫「成就」，這兩者是不同的。《紅樓夢》中賈府的家廟叫鐵檻寺，因為「縱有千年鐵門檻，終需一個土饅頭」，人不管怎麼巧，終逃不過死亡，人一生一定要做些對別人也有利的事才可。我在中正大學教書時的校長是林清江校長，他說五十歲以前要努力證明自己是有用之人，五十歲以後，要努力將這個有用回饋社會，所以他要我們去嘉義的文化中心對民眾演講，要把實驗室做的研究講到一般老百姓聽得懂才行，他要我們學以致用。

最近一位八歲的華裔女孩出了本書，記者問她妳長大要做什麼？她說：「我為什麼要等到長大才做什麼？這是很奇怪的觀念，你們大人都假設沒有長大之前就什麼都不是，我現在就是個作家。」Bravo！你不必等長大才去做你想要做的事，現在就可以做。人生難以預料，說不定等到長大時就已經太晚了。

你也不必擔心太老了，不能去做你想要做的事，因為青春無關年華，它是內心境界。有句英文諺語說得好：「假如你認為你還青澀，你可以繼續成長；如果你認為你已成熟，那只能等著爛掉。」我們的心決定我們的行為，我們的行為反過頭來決定大腦神經的連接，只要心中覺得是年輕就可以做很多的事，最主要是做的事不能只為自己。

有一個研究訪問九十歲以上的老人，問他們如果可以從新再活一次，他們會做什麼改變？結果大多數人說：「我會多做一些事情，讓這些事情在我死後仍然可以延續下去。」的確，如果一切隨風而逝，那就彷彿不曾走過，所以人一定要做一些比生命更長久的事情，當生命消失時，至少要讓這副臭皮囊化作春泥更護花！（《天下》雜誌第三六六期，二〇〇七年二月十四日）

5 有勇氣追求心中的夢想

報上登載美國有個四十八歲的男子，在今年七月五日坐在綁著一大捆氣球的躺椅上，升空去圓他小時候的夢。他飛越了奧瑞崗州的內陸，在九小時之內飛了三七八公里。他說：「從上面往下看，一切是這麼祥和和寧靜，因為飛得慢，你有時間可以慢慢欣賞地球之美，光是這美景就值得所有的冒險。」我看了非常羨慕，我小時候也做過飛翔的夢，尤其看了《西遊記》以後，更是連做夢都想飛。有一次真的在夢中飛了起來，只是儘管很努力的飛，仍然飛得不高，眼看著要撞樹了，便嚇醒了。這場夢，過了五十年，仍然記得很清楚。想飛是每個孩子的夢，只是很少人能像這位先生一樣，勇敢的實現夢想。

最近參加了一次同學會，在聚餐時，有人談到唸書時的夢想，大家都很感嘆匆匆過掉大半生，年輕的夢雖然還記得，卻已無力完成。有人問我怎麼有勇氣放棄一定有飯吃的法律系去唸不一定有飯吃的心理系。我會有勇氣轉行，主要是大三時碰到一位好老師。那時班上有對班對，感情很好，但是女方家長極力反對，在民國五十年代，很少人敢反抗家庭，所以她極為痛苦，正好教我們心理學的老師是剛從哥倫比亞大學回國的，於是她拉了我一起去找老師指點迷津。

老師聽說後，便拿了兩根火柴，把一根折一半，然後把兩根齊頭並排說：父母好比是短的火柴棒，我們是長的，假如我們現在順從了父母的意思嫁了我們不喜歡的人，做了我們不喜歡的工作，將來父母仙逝後，我們還有一半的人生要走，那時我們要取悅的人不在了，我們該怎麼過日子呢？他說：父母沒有不愛孩子的，只有孩子快樂，父母才會快樂。孩子盡孝之道便是使自己快樂，父母看你活得快樂後，他們就放心了。短短幾句話，當頭棒喝，把我喝醒。因此，我出國後，便去追求我的興趣，果然，後來父母接受了我的選擇。

很可惜的是，我的同學還是沒有勇氣抵抗母親的眼淚，她沒有跟那個同學結婚，一直拖到四十多歲才嫁。她父母果然為了她的晚婚煩惱不已。現在回想起來，很感謝那位老師的比喻，使我有勇氣走自己的路。

最近在《人間福報》上看到竹科有對夫婦放棄高薪去做生態保育，從大自然中體會人生的目的。看了很感動，但願有更多人能有勇氣追求心中的夢想，大膽的走出自己的一片天。（《人間福報》二〇〇八年八月十一日）

6 打開心胸，讓希望進來

心理學家一直對西臘神話故事潘朵拉盒子（Pandora's Box）的現象很感興趣。這個好奇的小女孩打開了不該打開的盒子，放出了瘟疫、戰爭、飢荒……，幸好她在把蓋子蓋上之前，讓「希望」飛了出來，有了希望，人就可以忍受一切苦難，繼續活下去了。心理學家很想知道「希望」的心理和生理機制是什麼？為什麼它可以使人忍前所不能忍之事？

透過腦造影技術，科學家發現希望其實就是期待，可以使大腦產生正向的神經傳導物質。例如心理學家跟老人院的老人說：後天要給你們看勞萊、哈台（王哥、柳哥）的電影；第二天他用棉花棒取老人的唾液出來看他們的免疫球蛋白，發現就增加了。雖然尚未看到電影，但是今天比昨天更靠近要看的時候，心中的期待增加了他們的免疫力。

在實驗室中，我們也可以利用「期待」訓練出「鳳凰單展翅」的鴿子（這是中國傳統的酷刑之一，用單手把犯人吊高）。實驗者不定期給鴿子食物，如讓牠連續啄圓鍵五百次以上才給一個食物，這個「有希望得到食物」的驅力，會使牠一直啄下去，甚至到一千次以上。當牠累了，把一隻腳縮起來時，實驗者立即給牠一顆食物，所有動物都有因果聯結的本能，牠就誤以為單腳站才有食物吃，從此牠就單腳站。實驗者又等牠單腳站了很久，挪動一下身體，把翅膀揚起時，再立即給牠食物，從此這隻鴿子一進入實驗室，就立刻擺出牠以為最能吃到食物的姿勢，我們就成功的訓練出一隻鳳凰單展翅的鴿子了。希望是在挫折、危難時，鼓舞個體持續不斷工作的力量，哪怕獲得的報酬很少，只要有希望都可以撐下去。

那麼為什麼又會有這麼多人放棄希望呢？小說家霍桑（Nathaniel Hawthorne）說：「沒有任何地牢比心牢更幽暗，沒有任何獄卒比自我更無情。」人經常是被自我打敗的。馬戲團的大象必須從小飼養，在牠還是象寶寶時，就把牠綁在地樁上，限制活動。牠會哀鳴，掙扎要自由，可是還太小，掙脫不了。過一段時間後，牠就相信自己很弱小，不可能把地上的木樁拔起來。可是我們知道，一頭成象可以舉起一千磅的重物，還能把樹連根拔起。會留在馬戲團任人擺佈，是牠已經放棄嘗試，牠說服了自己是不可能得到自由的。

人也是一樣，過去負面的經驗或情感綁住了我們，使我們不能隨心所欲的過人生。憂鬱症的病人陷在自己的心牢中，每天嚴厲的鞭打自己，別人完全無能為力，因為心牢的鑰匙只有他自己有。但是只要他能一轉念，放下過去，希望就能進來，心牢的門就打開了，自己就自由了。

小羅斯福總統（Franklin Roosevelt）說得對，人類不是命運的囚犯，是他們心靈的囚犯，有希望，沒有過不下去的日子。只可恨要選票的政客一再挑撥離間，讓台灣人民陷在悲情的心牢中，掙脫不開來。二二八已誤了上一代，讓我們打開心胸，讓希望進來，不要再誤下一代吧！（《天下》雜誌第三九三期，二〇〇八年三月二十六日）

7 尊重：生命教育的第一步

朋友寄了一箱沒有農藥的芒果給我，在箱中墊了一張舊報紙，上面有張圖片是某大酒店的自助餐長桌上躺了一個年輕女人，身上鋪滿生魚片，一群西裝筆挺的食客拿著盤子從模特兒身上取用。我看了大驚，不能相信台灣會如此不尊重人，這是把人「物化」，把人體做為盛生魚片的器皿。沒想到打開晚報，又發現一個私立高中的國文老師用毛筆在學生臉上畫鬼臉，來處罰成績不好的學生。這個當眾被羞辱的女學生無顏見人，不敢去上學。父母投訴後，老師辯說這不是體罰，這是「寓教於樂」。

好一個寓教於樂，如果老師以毛筆「黔面」不准洗掉，在課堂中「遊街示眾」是寓教於樂的話，就難怪我們的學生越上學越沒有自尊自信，最後是自暴自棄，自虐也去虐待別人或動物了。

體罰不一定是肉體的傷害，心靈的傷害往往更深，「利刀割體痕易合，惡語傷人恨難消」，體罰的傷痕不見了以後，心靈的傷痕還跟著孩子一輩子。令人驚訝的是校長居然肯定這位老師的做法，說這只是想「強化學生學習的動機」，更可怕的是連教育局的科員都認為大部分學生應該很高興這種「遊戲」，只是少數幾個有異議。我想他只要去問一下小學時玩過「阿魯巴」的人，就知道是不是大多數人喜歡了。「阿魯巴」可以玩到睪丸破裂，它不叫遊戲，它叫霸凌。那些矮小體弱的孩子被同學架起來去衝撞時，他們是無可奈何，敢怒不敢言啊。教育局目前的決定是不做後續處理，其實這件事沒有什麼可後續處理，因為傷害已造成了，它要做的是亡羊補牢，從根本上去教育校長、老師對人的尊重，學生也是人，功課不好不是罪過，沒有犯罪，不應該黥面。

我到現在還是不了解考不好要挨打的理論基礎是什麼，如果孩子能力不及於此，打死了也還是不會做，打他不是很不公平嗎？最主要是當把人物化後，什麼殘忍的行為都做得出來。納粹屠殺猶太人時，就是先去人性化，把猶太人編號，刺在手臂上，這樣送進煤氣室時就沒有罪惡感，因為不是在殺人，他只是在處理掉一個物件而已。監獄中的虐囚也是一樣，犯人不是叫名字，是叫號碼的。

「尊重」是生命教育的第一步，在青春期生命開展的時候，請老師盡量尊重學生，教導他，不要羞辱他。（《天下》雜誌第三九九期，二〇〇八年六月十八日）

8 碧翠絲的羊

碧翠絲・比拉（Beatrice Biira）是烏干達人，從小想讀書，但家境貧寒，父母無力供她上學。時光一年一年的過去，眼看著碧翠絲就會像絕大多數的烏干達婦女一樣：不識字的過一生了。

一天，奇蹟發生了，在地球另一端的美國康州小鎮的孩子，決定捐出他們的零用錢為窮困人民做一點事，幾經討論，他們決定買山羊送給非洲農夫，以改善他們的生活。在他們買的羊中，有一頭到了碧翠絲爸爸的手上，不久，這頭山羊生了兩隻小羊，小羊斷奶後，母羊的奶就可以給碧翠絲和她的弟妹們喝，還有多餘的可拿去賣。有了錢以後，碧翠絲的父母就決定讓她去上學。她的年齡雖然比一般一年級的學生大了很多，但是碧翠絲不在乎，她珍惜這個上學的機會，非常努力，考了全校第一名。

有一次，有位美國作家去參觀她的學校，便把她的故事寫成一本童書叫《碧翠絲的羊》，出版後很暢銷，很多人都被她感動，因此，美國麻省一所私立學校願意給她獎學金，她就從烏干達來到美國，順利讀完大學，成為今年康州州立學院的應屆畢業生，也是她家鄉第一個大學生。經濟學家薩克斯（Jeffery Sachs）把它叫做經濟發展的「碧翠絲理論」（Beatrice theorem）——一個小小的開始，可以結出大大的果實。

細想一下，這真的是一個奇蹟，因為中間有太多的變數，只要任何一個環節出了問題，碧翠絲都不可能圓她的夢。比如說，貪污在烏干達很普遍，假如村長自己把羊留下，不給碧翠絲的父親，碧翠絲就不可能去上學；偷竊在烏干達也很普遍，假如這隻羊死了或被偷走了，碧翠絲也不可能去上學，也就不可能成為童書的主角，更不可能拿到麻省中學的獎學金。因此，最近村莊的人為碧翠絲舉辦了一個彌撒來感謝天。

人生有很多意想不到的巧合，有時一點善心會像蝴蝶效應一樣，改變了十萬八千里外某個人的一生。塵世的財富是涓滴不入土，帶不走的，人只要一死，就沒有人會在乎你住什麼樣的房子、開什麼樣的汽車、曾經有過多少錢。但是假如你能多打開一個孩子的眼界，多啟發一個人的心智，這世界會因為這孩子而不一樣，而這孩子會因為你而不一樣，你就改變了這個世界，也增加了你自己存在的價值。人生的最終目的在創造自己和他人的不朽價值。

我們看到一個小小的善心改變了一個孩子的一生，達到了金錢所能得到的最佳經濟效益。（《天下》雜誌第四〇一期，二〇〇八年七月十六日）

9 別再反覆咀嚼過去的不幸

我去參加了一個企業家的聚會，赫然發現他們所請的貴賓竟然是我研究所同學的先生，當年窮到約會只能在麥當勞的小伙子，現在已是有名的政治經濟學教授了。他鄉遇故知，他看到我非常高興，特地坐到我旁邊來聊。

咖啡端上來後，他很誠懇的對我說：「你是唸大腦科學的，你一定知道情緒會影響創造力、生產力和健康。心情愉快，做事比較快，有生產力；有朝氣的人點子比較多，新的想法會在腦力激盪時一直湧出。你們為什麼要選擇憂鬱呢？二次世界大戰已經結束六十年了，你們為什麼還在緬懷過去，算舊帳，不向前看呢？生活在過去中的人是看不見未來的，每一個時代都有它的悲劇，已發生的事不可挽回，何必一直反芻它呢？憤怒是最消耗能量的一種情緒，台灣現在最重要的是給人民希望和願景，把你們從泥濘中帶出來。」我很驚訝他不是跟我敘舊，而是向我說教。

他繼續說：「政治家不能只看過去，要有前瞻性，牛奶打翻了，一直去計較誰害你打翻的，即使找出害你的人又有什麼用呢？覆水難收，白花了大好的時光與力氣，何不用在建設性的思考上呢？一個好的政治家會給人民一個遠景、一個希望，讓老百姓眼睛望著天邊的彩虹時，忘記眼前的痛苦。你一定知道從心理學的研究上，再苦的生活，只要有希望就活得下去；相對的，再可口的山珍海味，如果是你的最後一餐，也吃不下。」

一席話聽得我啞口無言，他是對的，齊克果就曾說：「生命只有走過才能了解，但是必須往前看才活得下去。」

我問他怎麼知道我們現在心情鬱卒呢？他說他在一九九四年曾經把女兒送來台灣學中文，因為那時已經看到世界的重心會移往亞洲，所謂環太平洋國家（Pacific Rim），所以他要她學中文和日文。他說那時的台灣是有朝氣的，人民神采飛揚，跟他這次來的感受不一樣。當年他曾讓他女兒選擇去台灣或大陸學語言，他女兒選台灣，說台灣生活比大陸「文明」太多，現在他女兒在北京工作。他感嘆這十年間的轉變，我更感嘆這流水十年間，國力的消耗。

從憂鬱症病人身上，我們知道若是一直讓病人反覆咀嚼過去不幸的遭遇，這病人會整天臉色陰沉，易怒、愛哭，因為這些負面的神經迴路越被活化，它的臨界點越低，最後只要一點點跟過去有關的事便會立刻活化負向神經迴路，使他心情低落，再一次掉入憂鬱的谷底。而在研究上，現在已知人的行為會回過頭來改變他大腦中神經的連接方式，每天這樣惡性循環，病情就會越來越嚴重了。

看到現在不管什麼事，不分是非，不管曲直，只分藍綠，真是非常擔心。我們不是含蓄、沉著、穩重的民族嗎？怎麼會被政客挑撥到連理性都不見了呢？（《遠見》雜誌二〇〇七年七月號）

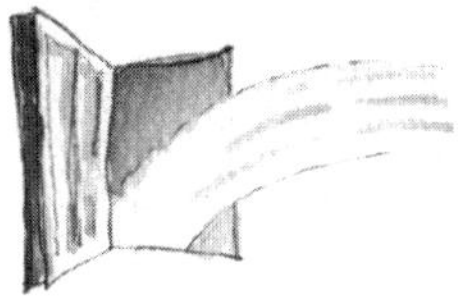

10 學生虐待動物的警訊

最近報上一直有學生虐待動物的新聞，尤其前幾天，有兩個國中生以酒精膏塗在小狗身上，點火將牠活活燒死。報上登出小狗混身上下沒有一塊皮的慘狀，看了令人髮指。抓到兇手後，家長竟然輕描淡寫的說「孩子不懂事，燒死了一隻狗」，看了更令人生氣。孩子會做出這種殘忍行為，家長是有責任的。一個正常的孩子是不會燒狗取樂的，怎麼能以「孩子不懂事」一句話把責任搪塞掉？

心理學家早在一九五六年就看到了「受虐兒長大成為施虐者」的實驗證據。美國威斯康辛大學心理學教授哈洛（Harry Harlow）將小猴子一出生就與母親隔離，然後給牠一個絨布做的媽媽和一個鐵絲網做的媽媽。絨布媽媽很溫暖，但是身上沒有奶瓶；鐵絲網的媽媽冰冷，但身上有一瓶奶。我們中國人說「有奶便是娘」，但是在猴子身上卻非如此。這隻小猴子所有的時間都黏在絨布媽媽的身上，只有肚子餓時，才過去鐵絲網媽媽處吃奶。即便如此，牠一隻腳還要勾著絨布媽媽的身體，這就像我們帶孩子上街時，孩子一隻手會緊緊抓著我們的裙子一樣。

假如給小猴子新奇的玩具，牠會很想去摸，但是如果離絨布媽媽很遠，手摸不到，必須離開絨布媽媽才能玩這玩具時，牠只會一直看，不敢離開媽媽的身邊；如果把絨布媽媽移到近一點的距離，牠便會一隻腳勾著絨布媽媽身體，盡量往外傾斜身體，伸手去摸新玩具。假如給牠很多新玩具，但是把絨布媽媽移走，這時新奇玩具對他完全失去吸引力，牠會不理睬這些玩具，雙手抱頭躲在牆角，任何人一接近，牠就尖叫哀鳴，非常可憐。

這樣長大的猴子心理不正常，不能正常的交配，實驗者用人工授精的方式使牠懷孕，牠會把自己親生的小孩虐待死。殘忍的方式與這兩個國中生相似，在實驗上，我們看到了「受虐兒長大變成施虐者」。

犯罪神經學的證據顯示，殘忍的兇殺犯，尤其是連續性的殺人犯，他們大腦額葉的結構不正常，小腦皮質血流量不足，小時候都有虐待動物的紀錄，家庭功能都不完整。看到現在的國中生動不動就在微波爐中烤小狗，把小狗的嘴巴用鐵線綁住、活活餓死牠，或用橡皮筋把牠生殖器綁住，使它壞死……，這些恐怖的殘忍行為已不是「孩子不懂事」或「一時好玩」能解釋的。它是冰山一角，是我們的家庭瓦解、社會失功能的嚴重警訊。

品德的培養是個潛移默化的歷程，急切不可得。從現在社會風氣的敗壞、人心的殘酷看來，重振社會道德、恢復家庭功能，已是件刻不容緩、今天不做明天會後悔的事了。（《道德月刊》創刊號，二〇〇八年一月）

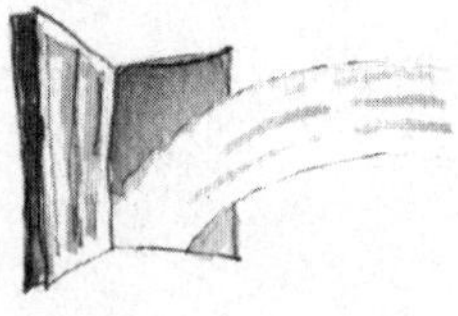

11 自由寫手的啟示

過去我們一直鼓勵孩子寫日記，但效果都不是很好。最近因為《自由寫手的故事》（*Teach With Your Heart*）及《街頭日記》（*Freedom Writers*）兩本書（中譯本皆為天下雜誌出版）的暢銷，一下子寫日記的人增多了。尤其現在的網路發達，許多人都在部落格上寫下自己的感受與別人分享。我想或許以後憂鬱症的情形會好一點，因為人都非常需要別人的扶持，如果在現代社會做不到面對面談話，或許網路日記會是一個分享心情的替代方法。

有一個實驗，請八位女性躺在核磁共振儀中看一些隨機出現的幾何圖形。當某個圖形出現時，實驗者電擊她，同時掃瞄她的大腦。雖然電流不強，只是麻一下，但被電還是會緊張。這實驗有三種情況：實驗者有時讓她的先生握著她的手，有時讓陌生人握著她的手，有時沒有人握她的手，她得單獨面對電擊。掃瞄結果發現電擊來時，受試者大腦中的「下視丘—腦下垂體—腎上腺」迴路會馬上活化起來，分泌腎上腺素及壓力荷爾蒙來抵抗。假如是她先生握著她的手，這時，這條迴路活化得就沒那麼厲害，焦慮情況也比較低；陌生人握著手時比不上她的先生，但是比獨自一個人時好一點。

雖然受試者的頭在儀器中，看不到外面，但她憑感覺就知道握著她的手的人是不是她先生，大腦因而反應不同。所以我們知道，在危難時，朋友和親人的支持對健康非常的重要，也因此了解《自由寫手的故事》及《街頭日記》中的那些處在惡劣環境中的孩子為什麼在寫匿名日記（不匿名，有人不敢講真心話），大家分享，情緒會突然好很多，而且因為感到有人關心，功課也就好起來了。他們的原生家庭都是酗酒、亂倫、家暴的失功能家庭；但是到了學校，他們有了另一個家庭，在這個家庭中，他們可以坦誠相對，無話不談。他們可以互相扶持，同甘苦、共患難。孩子從日記的分享中找到了力量，使他們向上。

我們現在的青少年常覺苦悶，心事不知向誰訴說，總是說沒有人了解他，或許他們需要的，就是一個可以安全說出心聲而不會被人嘲笑、貼上標籤的「家庭」。從實驗中看到，當我們與人肌膚接觸，和睦相處時，身體內會產生催產素。這個催產素會使我們血壓降低，產生愛的感覺。這美好的感覺會使我們的身體健康，將溫暖的人際關係轉為生理的益處。

情緒是會影響生理的，當我們的孩子寂寞、空虛時，我們也在間接付出社會成本。《自由寫手的故事》和《街頭日記》是個啟示，或許我們可以從它學會照顧青少年身心的方法。（《人間福報》二〇〇八年十月二十日）

12 圖書館裡的「活書」

美國加州聖塔莫尼卡市（Santa Monica）的圖書館裡有十四本「活書」（living books），如果你想知道百科全書中的某個項目的意義，可以去櫃檯登記，借出活書半個小時。這活書是十四位義工針對時人容易誤解的項目，或已有偏見的概念做親身的解說。例如想知道什麼叫街頭遊民，就有遊民現身說法向你解釋，想知道裸體主義是什麼，就有一個終身奉行裸體主義的人告訴你為什麼他喜歡裸體；想知道什麼是素食主義，就有吃素的人來跟你對話。

圖書館認為有些題目是只有人跟人面對面說話才能真正了解，文字說明有時碰觸不到心中深層產生「感動」的地方。比如說，納粹明明屠殺了六百萬猶太人，有些人卻偏會聽信德國極右派份子的蠱惑，認為這全是猶太人自己想像出來的，但是若能親自跟集中營的倖存者談話，尤其看到他們手臂上刺的號碼之後，都會大為震撼，感同身受，觀念就會慢慢改變。

在暢銷書《自由寫手的故事》中，一位在加州公立高中教後段班的老師發現她的學生竟然不知道有納粹滅種屠殺這麼大的事件，於是她帶著這些學生去洛杉磯參觀了一次二次世界大戰的紀念館。出來後，每個孩子的觀念都不一樣了，他們很震驚種族優越感、民族仇恨會令人做出這樣無人性的殘忍行為，徹底了解了偏見的可怕。從此這些孩子的行為整個改變過來，他們未經世故、善良的本性被啟動了，每個人都利用課餘時間去做化解仇恨的志工，甚至義賣募款幫助偏見的受害者。我們看到這些孩子本來對遠在巴爾幹半島的南斯拉夫人民沒有什麼感覺，但是因為參觀了猶太屠殺紀念館，又因老師在課堂上談到二十世紀的另一個滅種屠殺，於是學生開始自動自發募款幫助戰爭的受害者。他們幫助了別人，被幫助的人也改變了這些學生的人生觀。

我們看到知識的重要性，因為知識改變觀念，觀念改變行為。其實，這就是圖書館最重要的功能——提供老百姓知識，改變他們的人生觀、價值觀。很可惜，我們台灣一直把圖書館視為藏書庫，很多圖書館也把自己定位為被動的知識儲藏地。到現在，還有人把圖書館員視為負責借書的人，完全不了解一個好的圖書館員是主動的配合學校教學，提供老師補充教材，幫助學生完成老師指定作業的人。美國學生一週至少要去圖書館一次，因為老師出的作業中，有很多是必須借重圖書館才能完成的。

看到聖塔莫尼卡的圖書館主動提供市民正確的知識，而我們的學生只有要考試才去圖書館K書，真的很希望政府能多編預算讓台灣的圖書館也能發揮它的功能，成為知識獲得的促進者。（《天下》雜誌第四〇九期，二〇〇八年十一月五日）

13 讓孩子領會學習的真正目的

在酒會上，聽到有人大聲嘲笑美國共和黨副總統候選人培林（Sarah Palin）沒有世界觀，不知道非洲是個洲，還以為是個國家。循聲望去，發現嘲笑的人正是不知道新幾內亞在亞洲，堅持在非洲的人。在二十一世紀，沒有世界觀在競爭力上是個弱點。一九八九年柏林圍牆倒下時，加州大學醫學院的面試問題便是「柏林圍牆倒下，對你的意義是什麼？」所有老師一致認為一個不關心世事、心胸不夠寬大、沒有世界觀的人不會是個好醫生。

要使孩子打開眼界，最簡單的方式便是多讀。但是有人說，這不是又增加孩子的壓力了嗎？其實不會，只要不考標準答案就沒有問題。老師可以多教，孩子可以多讀，只要改變考核方式，孩子就沒有壓力。知識是相通的，讀得多，背景知識豐富，就容易吸收，記憶最重要的效標是意義度，有意義就會記得，多讀反而減輕學習壓力。

學生閱歷不夠容易自以為是。曾經有個學生問我，王陽明有什麼了不起，在沒有孔子大學之前為什麼先有陽明大學？意思是還輪不到他。我問他：「王陽明做了什麼事使你知道他的名字？」他說：「不知道，歷史課本有寫，我們就要去背，名字就知道了。」我想這就是問題所在了。

我們的課本編得太簡單，因此老師必須告訴孩子為什麼這個人值得名留青史，不然歷史變成只是一堆要考的人名和地名，難怪念起來很痛苦。其實王陽明平定寧王宸濠之亂的經過非常有戲劇性，孩子會很喜歡聽的。

宸濠造反時，王陽明任都察御史，他上任不久就平定了江西、福建、廣東一帶，數十年來朝廷無法解決的盜寇問題，他聽說宸濠反了，便起兵勤王，寧王知道他很厲害，要先除去他，便派人追殺他。他換上便服，躲在漁舟中，另使人穿上他的衣冠坐在船上，用金蟬脫殼計逃到臨江。他知道如果宸濠北上，直取京師，那就完了，因為明朝積弱，不堪一擊。所以他用反間計，假稱朝廷已知宸濠將反，特令兩廣、湖襄都御史在各路要害埋伏，又將這道假密旨縫在優人（演員）的衣服裡，讓他們故意被宸濠所捉，把假消息傳出去。寧王果然不敢發兵北上，便先打安慶。

王陽明一方面部署兵力，一方面叫人把他住的官署四周圍上柴火，戰況不利時，就火燒官署以免妻兒受辱。主帥如此，將士自然用命，所以他能以寡敵眾，生擒寧王。在這段歷史中，王陽明所用的兵法、心戰策略都非常精彩，值得學生學習。

過人的膽識、臨危不亂的修養、對大局的掌握，是王陽明致勝的原因，「致良知」的哲理更使他成為中國的大思想家。他允文允武，是真的值得在歷史上留名。

這個例子其實突顯了目前教育上的一個大問題，我們的學生埋首書堆數十年，所學的東西常常不知用在哪裡，因為他沒有學問整體的架構。零碎的知識，除了考填空題，沒有什麼用處。一個人若是不能領會學習真正的目的，人生是很遺憾的。

（《天下》雜誌第四一〇期，二〇〇八年十一月十九日）

第3篇

付諸行動，讓世界不一樣

1 誠信，才能換得忠誠

前幾天在報上看到一位太太去大賣場買電視，付完錢後，她擔心大賣場會以展示品賣給她，所以一再交代電視要原裝到她家才拆箱。但是當箱子到達時，她看到是個貼過兩次封帶的舊紙箱，打電話問售貨員，對方斬釘截鐵的保證是全新貨。她因為越看越疑心，便親自開車去大賣場看一下展示品還在不在，一看，果然不在了。因為電視有折舊，這位太太很不高興，將過程寫了出來上報。

同事看到這則新聞後，便感嘆在台灣生活很辛苦，有些商人不誠信，整天要防人詐騙。這使我想起《最後的演講》（*The Last Lecture*，中譯本圓神出版）一書中，作者描述他父母為什麼對迪士尼世界忠心耿耿，一有客人來，一定帶去迪士尼世界消費。

他說他小時候與姐姐一起去迪士尼世界玩，父母給他們一些零用錢，約好九十分鐘後在某處會面，就讓他們自由行動了。姐弟倆為了感謝父母帶他們到迪士尼世界，又信任他們自由玩耍，便決定把兩人的錢湊一湊，買一份禮物謝謝父母。

他們走進禮品店，看到一對鹽和胡椒的陶瓷罐，是樹上有兩隻熊，左邊的抱著鹽罐，右邊的抱著胡椒罐，覺得很可愛，便花了十美元買下來。當他們興高采烈走出店門時，一不小心，禮物掉在地上打破了，兩個孩子就哭了起來。有路人告訴他們拿回店裡去換，他們不敢，因為是自己的錯。路人說：「試試看，不試怎麼知道結果是什麼呢？」兩人於是鼓起勇氣，回到店裡很誠實的說明經過，結果店員二話不說，換給他們一個新的，還說是他們的錯，包裝得不夠嚴謹，經不起一個十二歲孩子摔。

作者說他簡直不能相信他的耳朵，高興得幾乎是「飄著」出店門的。

這個店員童叟不欺的和善服務態度，後來陸續為迪士尼賺進了大把鈔票，因為他父母從此把迪士尼納入他們招待外國留學生的例行活動中。每一季都開著巴士載這些學生去迪士尼世界玩，算一算，二十多年來，他們在迪士尼消費的錢已經超過十萬美元了。

這對胡椒罐現在還在他母親的廚房中，對他們來說，那是美好的一天，我想對迪士尼來說也是美好的一天，十元買到金不換的忠誠。

很多現代企業看不到這一點，貨物出門，概不退換。其實「誠信」是做生意的不二法門，只要有口碑，不怕顧客不上門。這個故事對現在正要創業的年輕人或許可以做個參考。（《人間福報》二〇〇八年六月十六日）

2 品德：看不見的競爭力

在晚宴上，朋友說了一個故事：他的公司經營得不錯，需要擴充，剛上網徵才，立刻有幾百個人來應徵，因此早上由經理面試，初步淘汰後，下午由他複試。

他平日每天早上打完球後，直接去公司上班，因為辦公室有衛浴設備，不必回家浪費時間。那天早上，他穿著球衣匆忙進公司，前面有一位年輕人把厚重的玻璃門推開後，明明看到他在後面，卻沒有替他把門扶一下，自顧自的進去，玻璃門彈回來差點打到他，幸好他是個打球的人，反應很快，及時往後跳一步，門才沒有打到鼻子。他進去後，看到那位年輕人還在等電梯，就想好心教他一下國際禮儀，因為替後面的人扶一下門是紳士的禮貌。於是他就開口說：「對不起，您在這兒上班嗎？」那個年輕人回過頭來，上下打量了他一下，見他穿得隨便，就不屑地說：「有什麼問題嗎？」因為口氣不友善，他聽了不舒服，就算了。

下午複試時，他發現初試第一名的竟然就是早上那位年輕人。從履歷看來：台灣最好的大學，書卷獎的成績，很好的推薦信，如果沒有早上那個經驗，他會當場錄取這個年輕人；但是有了早上的經驗，他不敢要他，德和才，他取德。他不解的說：衣食足而知榮辱，現在社會富裕了，為什麼行為反而粗魯了、沒禮貌了呢？他問：我們的教育出了什麼問題？

他講完後，全桌默然。其實這個經驗很多人都有過，整個社會失去了最基本的待人接物的禮貌，從百貨公司的專櫃小姐開始，大家都以人的外表來評估他的價值，所以才會有女大學生寧可吃一個月泡麵也要省錢來買名牌皮包。只重視外表的結果就產生「拜金主義」，過去我們要求知識分子的一些節操都不見了。

現在的教育問題出在品格教育上。因為指考不考，大家都忽略它，甚至有人譏笑說道德一公斤值幾毛錢？其實品德是一個國家看不見的競爭力，一個國家的強盛與否在於這個國家國民的品質。

現在景氣不好，很多大學生在待業中，但是我也知道有人有兩、三個工作在等著他選擇，這個就業的競爭力，除了學校所教的專業知識之外，就是這個人的品德了。我們只要看，越重要的職位越要面試，就曉得品德的重要性了。現在很多大學開始回頭注重人文素養，這是一個好現象，希望亡羊補牢，我們還來得及。（《人間福報》二〇〇八年九月八日）

3 自欺才會欺人

有一天在一本科學期刊上看到一個實驗，有一種鳥（Zonotrichia querula）在冬天時會聚在一起取暖，在這團體中，有一些鳥因基因突變使得頸部的顏色變得深暗，這種變種鳥好勇鬥狠，別的鳥不敢惹牠，是團體中的霸凌。華盛頓大學的羅佛（Sievert Rohwer）把這種鳥的幼鳥染色成突變鳥的深色，結果這隻幼鳥的地位瞬間提昇了，別人看到牠立刻退避三舍，恭敬地禮讓牠。經過一段時間後，牠就忘了牠是誰，開始趾高氣昂起來，明明是團體中地位最低的幼鳥，現在牠卻深深相信自己是老大，走路有風了，這個自欺欺人的現象令人驚訝。

實驗者接著把染色褪去，這隻鳥立刻從雲霄跌落塵埃，別的鳥發現牠原來是個假貨後，立刻感到被愚弄的憤怒，群起而攻之，把牠逐出。羅佛更把原來是黑頸的變種鳥毛色漂白變淡，結果原來不可一世的鳥一夕之間天地變色，喪失牠們原有的社會地位，受到群鳥的歧視，這時牠們會變得很有攻擊性，瘋狂反撲想奪回原來的地位。

看了這個實驗真是覺得鳥性與人性很相似，人一被捧就飄飄然，忘了自己是老幾，捧久了就以為自己真的是老大，就忘記出身，變得驕傲了。生物學家認為，自欺最主要的目的是為了能更順利的欺騙他人；也就是說，如果自己的意識不知道真相，就能使別人更不知道真相。自欺使人可以真誠的說謊，因為他完全不知道自己在說謊，自欺的人相信自己說的是真話，自己先相信，別人才會相信。社會心理學家把「客觀的事實」稱為「經過我們不自覺的解讀與竄改後所得到的結果」，人真是一種很容易被權勢奉承所蒙蔽、忘記自己是誰的動物。

有一個笑話說，一個有錢人很不快樂，他問牧師說：「為什麼我越來越有錢，我的朋友卻越來越少？」牧師把他帶到窗邊問：「你從玻璃窗看出去看到了什麼？」他說：「行人。」牧師然後帶他到一面鏡子前面說：「現在你看到什麼？」他說：「自己。」牧師說：「玻璃鍍上了銀，就只能看到自己了。」這則笑話發人深省。權勢與金錢蒙蔽了人的雙眼，使人只看到自己看不到靜坐的老百姓了。（《天下》雜誌第三五六期，二〇〇六年九月二十七日）

4 音樂力量大

最近去了兩所山地學校服務，這兩所學校偏遠程度相同，學校大小相似，屬同一原住民部落，但是一所學校的學生活潑開朗，另一校安靜抑鬱，我覺得很奇怪。下山時，甲校校長打手機來說：「讓你聽一聽我們合唱團的美妙歌聲。」一霎時，我了解了，這是音樂的關係，甲校有合唱團，乙校沒有。

柏拉圖在他的《理想國》中說，二十歲以前的人只要音樂和運動兩種功課就夠了，因為這兩種是心和身的教育。音樂對人的感動是超越政治、宗教、種族之外的，我以前的系主任是猶太人，但是他在聽華格納（Richard Wagner）的歌劇《尼布龍的指環》，尤其是〈諸神的黃昏〉時，一樣掉眼淚，華格納不因政治觀點而減少他音樂的感人力量。

朱光潛在六十年前就提倡音樂教育，因為它是群育，一個愛好音樂的人，很少是孤僻的，所以音樂是群育最好的工具。他說「樂」最大的作用在「和」，再怎麼生氣的人，張開嘴開始唱歌後，臉上的肌肉就會鬆弛下來，表情就會柔和起來，暴戾之氣就消失了。有一幅漫畫非常好，一隻鳥對牠的主人說：「我是因為唱歌才快樂，不是快樂才唱歌。」

甲校的校長說他剛調來山地時，感到學生只是每天來上學，回家做功課，生活裡缺少一種歡樂的氣息。想到學生是布農族，天生有好嗓音，所以他組織合唱團，一早一晚全校練唱，唱出他們民族的心聲，唱出他們的自信心。他說，合唱團不要設備，最便宜，只要有一個好的音樂老師懂得帶就可以了。孩子的聲音清亮，歌聲傳到了山野，在田裡工作的父母放下鋤頭，大聲合聲回來，孩子受到鼓勵越唱越起勁。校長說有了合唱團之後，孩子的功課及行為反而變好了，很少發生吵架打架之事了，這就是音樂的力量，它洗滌心靈，無邪念自然不會做壞事。

山路崎嶇，通訊不良，我只聽到一半便斷訊了，但是真正的歌聲是在心裡的，我懷著愉悅的心情下山，多麼希望城裡的孩子也能這樣暫時拋開課本來唱歌。孔子說「禮樂射御書數」，樂被放在第二位，僅次於禮，表示在孔子心目中，樂比書重要。一個讀書人不可不會樂，它陶冶我們的性情。射是運動，它給我們強健的體魄，柏拉圖是對的，一個年輕人有了健全的心和身，自然可以去追求無盡的知識，父母何須擔心他不成材呢？（《天下》雜誌第三五八期，二〇〇六年十月二十五日）

5 人成為人的核心教育

一天搭高鐵時，有四個年輕人上車來，熟練的把座位翻轉，相對暢談，旁若無人，我只好強迫收聽，聽到他們在談最近因為五年五百億的分配都在理工而少文法，因此以文法為主的學校出來抗議。這四人異口同聲貶低人文說：無路用，還要分國家發展的錢。他們的語氣使我想起一個故事：美國緬因州有一個教拉丁文、希臘文、修辭學和宗教學的教授叫張伯倫（Joshua Chamberlain），他小時候看過《黑奴籲天錄》（*Uncle Tom's Cabin*），認為蓄奴是極不人道的事，因此當南北戰爭爆發時，他便投筆從戎，去做「一個基督徒應該做的事」。

一八六三年七月二日，張伯倫已升為上校，負責保衛蓋茨堡南邊的小山丘，這是北軍主力的左翼，如果失守，讓敵人從腹背攻入，則北軍不但會輸掉這場戰役，也將輸掉整場戰爭。張伯倫不是軍事戰略專家，他的軍事知識來自他讀的希臘古詩，但是他了解大局，知道小圓丘的重要性。當阿拉巴馬第十五軍團衝上來搶攻這座山頭時，他的緬因州第二十軍團奮力抵抗，擊退敵人五次，這時他發現沒有子彈了，彈盡援絕，敵人在望，他毫不猶疑地下令：「上刺刀！」他的部下立刻了解這句話的意義：肉搏戰，以死報國了。張伯倫身先士卒，拿著刺刀大喊一聲衝下山頭，他的士兵緊跟在後，喊聲震天，衝下去。阿拉巴馬軍團嚇了一跳，認為一定有後援才敢這麼大膽，因此立刻後退，一退便潰不成軍，結果阿拉巴馬軍團投降。蓋茨堡戰役決定了南北戰爭的勝負。

一八六五年四月，南方投降，格蘭將軍（Gen. Grant）派張伯倫去受降，接受南軍的國旗，南軍的代表是戈登將軍（Gen. Gordon）。敗軍之將不可言勇，戈登惴惴不安，不知要受什麼羞辱。沒想到張伯倫在南軍進來時，下令「立正、敬禮」。他的士兵跳起來立正，把手上武器伸出去對敗軍致敬。戈登也回馬，令掌旗官將旗低下回禮。整個會場肅穆，沒有勝利者的喧笑，因為死的是自己的同胞；沒有什麼比兄弟鬩牆更令人痛心的了。

這件事經過報紙報導後，引起爭議，很多人認為張伯倫矮化了北軍的勝利。但是張伯倫的古典文學教育使他的境界超越了一般人的報仇心態。英國政治家邱吉爾（Winston Churchill）說：「作戰時奮戰到底，失敗時全力還擊，勝利時心存寬厚，和平時友好親善。」張伯倫顯示了他的心胸。

人文教育是人成為人的核心教育，因為人格是潛移默化的，對是非的判斷、對正確事情「千萬人吾往矣」的勇氣是從人文而來的。張伯倫在喊「上刺刀」時的勇氣與膽識是他平日人文學養的結果，勝利時心存寬厚的風度更是他接受古典教育的表現。人文在國家貧窮時，是第一個可以丟棄的東西，但是在生死存亡關頭，那個使士兵上刺刀肉搏戰為國捐軀的意念，卻是平日孕育的人文素養播下的種子。（《天下》雜誌第三九一期，二〇〇八年二月二十七日）

6 不要給人民投機的空間

最近去大陸開會，因身體微恙，買的是商務艙的票，希望旅途舒適些。想不到從武漢飛香港時，機門一關，好幾個人衝到商務艙來搶位子。艙中本來只有我一人，現在都坐滿了，他們坐下後就開始拿出食物來大嚼。我問坐在我隔壁的先生說：「你們，你們……」他馬上了解我的意思：「一架飛機，隨便坐哪兒都是到同一個地方，位子空著也是空著。」空服員走過來說：「他們沒吃商務艙的飯。」好像沒吃商務艙的餐點就沒有侵犯到公司的權益或客人要求安靜的權益，就可以默許這個行為。

一路上我被他們的高聲談笑吵得頭痛欲裂，只好大聲咳嗽來抗議。我本來很生氣，後來突然想到，我們的國家戲劇院、音樂廳不也是戲要上演時，燈一暗，門一關，坐後排的觀眾就立刻往前搶位子嗎？兩岸分隔了六十年，想不到中國人佔便宜的惡習倒是有志一同，真是令人感嘆。

孟子說：「可以取，可以無取，取傷廉。可以與，可以不與，與傷惠。」不應得的就不能拿，這是一個基本的道德問題，也是個人修養的問題，現在的社會好像不再講求這個了。在機場的貴賓室，常看到衣冠楚楚的客人，打開手提袋，把架上的啤酒、可樂全部裝進去。照說這是不可以的，就好像自助餐的食物只能在裡面吃不可以攜出一樣。坐得起頭等艙的人應該不缺這小錢，但是這是中國人貪便宜的心在作祟，不拿白不拿，沒有取傷廉的感覺。其實投機行為很容易改，只要投機受到懲罰，就沒有人投機了。

動物，尤其哺乳類，都會彼此比較，假如同工不同酬，就不甘願，哪怕對原來這個報酬是滿意的。實驗者在猴子學會一個行為時，給牠吃一節小黃瓜做獎賞，牠原本很高興有黃瓜可吃，但是只要讓牠看到另一隻猴子做同樣的工作，得到的卻是葡萄乾時，下次再給牠黃瓜，牠就把它丟到地上，不屑一顧。這猴子原是二十四小時沒吃沒喝，很飢渴的，而黃瓜正是消除飢渴最好的食物。但是一經過比較，黃瓜不及葡萄乾，同工不同酬，就不甘願了。所以古人才會說「不患寡而患不均」，公平是社會穩定的基石。人只要看到別人投機取巧沒有被罰，那麼那些本來不會投機的人，也會因不甘心而去做。尤其上面貪，下面沒有不貪的，因為模仿是另一個動物本性。

所以導正社會風氣必須從上面做起，並且不能讓投機者得逞，在堅持一陣子後，守法就成為習慣，投機就會被人側目，以後這行為就會自然消失了。人民的習慣就是社會的素養，也就是這個國家的文化，所以立法要寬，執法要嚴，執法嚴就沒有投機的空間了。（《天下》雜誌第四〇四期，二〇〇八年八月二十七日）

7 付諸行動，讓世界不一樣

美國前副總統高爾（Al Gore）在二〇〇〇年競選總統失敗，以些微票數輸給布希（George W. Bush）之後，並未氣餒，也未怨天尤人（因為票數實在差得很少），他轉而全力投入環保，最近拍了一部環保電影《不願面對的真相》（*An Inconvenient Truth*）廣受好評，對世界的影響深遠。

美國前總統卡特（Jimmy Carter），在卸任後去非洲、中南美洲等貧窮國家蓋房子。他在位時，曾因蘇俄出兵阿富汗而杯葛奧運，讓美國選手失去奪金牌的機會，也曾因救俘失敗，失去民心，只做了一任就下台。但是他在回歸平淡後，卻深入偏遠地區服務，贏得了全世界的尊重。另一個像這樣的楷模，是德國的電影明星卡爾・波恩（Karl Heinz Bohm）。

我在唸高中時，有一部電影《我愛西施》（*Sissi*），非常轟動，是奧匈帝國皇帝法蘭茲・約瑟夫與皇后伊莉莎白相戀的故事，電影中的男女主角：羅美・雪妮黛

（Romy Schnider）及卡爾．波恩，男的英俊，女的美麗，不知羨煞多少有情人，但是很少人知道這位當年的大眾情人，後來竟是衣索比亞老百姓的再造恩人。

一九八一年，卡爾．波恩上了一個德國的綜藝節目，這個節目是讓特別來賓和主持人針對各種不可能的任務（mission impossible）打賭。那天賭的是坐在電視機前的觀眾有三分之一的人願意捐出一馬克來幫助世界上最窮苦、最無助的人，如果賭輸了，卡爾．波恩就得親自到世界上最窮困的地方體驗貧苦的滋味。結果那天晚上共有一千八百萬人收看這個節目，但是只收到一百五十多萬馬克，不到三分之一，他輸了。雖然在節目結束後民眾仍然繼續捐款，但卡爾認為輸了就是輸了，不可食言，於是就帶著錢到因長期內戰，人民顛沛流離的衣索比亞。他興建學校、開闢農田，讓老百姓有飯吃。他不是蜻蜓點水的把錢花掉了事，而是長期住下來，實際動手幫助這些可憐的難民。他的義舉贏得許多人的感動，二十年來一共募得了一億七千五百多萬歐元，全數投入衣索比亞的建設。

二〇〇三年三月，卡爾．波恩七十五歲生日，德國電視台為他製作了一個特別節目，表揚他對衣索比亞的貢獻。在電視上，他已垂垂老矣，無復當年的英姿，但是卻更令我感動，二十五歲的卡爾．波恩吸引我的地方是因為他英俊瀟灑，七十五歲的他卻是因為他品德高尚、無私奉獻。

古人說：「天賢一人以誨眾人之愚，而世反逞其所長，以形人之短。天富一人以濟眾人之困，而世反挾其所有，以凌人之貧。」這個世界不美好，所以才需要有能力的人來奉獻。看到高爾、卡特及卡爾・波恩的例子，我很想問：假如你有能力讓世界變得更美好，你會願意改變學校／社會／國家／國際的現狀嗎？人一生一定要做一件對別人有益的事，讓我們從今天開始，付諸行動，讓世界不一樣。（《遠見》雜誌二〇〇六年十月號）

8 不佔別人便宜的自足

朋友打電話給我，問我有沒有二手舊衣，我很驚訝，她那滿櫃子的名牌衣服呢？她說自從五二〇之後，辦公室慢慢形成一股穿舊衣之風。當每個人都穿舊衣時，她穿名牌覺得有鶴立雞群的不自在感覺，但是台北寸土寸金，她的公寓空間狹小，凡是不穿的衣服必須馬上送人，所以家中無舊衣，她知道我母親是什麼都不丟的，所以打電話來問問看。我很高興知道善良風俗的形成竟然只要一個月就可以了，上行下效的力量真是不可忽視。

最近物價高漲，「錢」迫使人們開始節能減碳，我注意到路上的汽車減少了，摩托車增多了，去開會時，冷氣也不再冷死人了，連學校廁所的燈都不再是二十四小時開了，常有人走過去時，會隨手關燈。這真是可喜的現象。終於又回到我小時候，中國人勤儉持家「量入為出」的美德。我父親以前常說「大富由天，小富由人」，晴天要想到下雨時，未雨綢繆、知足常樂。這次在五月份公布的國家競爭力調查中，泰國排名二十七，超越韓國、印度，但是泰皇還是要人民自足。他說：「自足是過合理、舒適的生活，不過度消費、奢侈浪費。」最主要是他說「不要超過自己經濟能力」。

我想起以前有支廣告鼓吹借錢是光榮的事，結果害得年輕人未出校門就一屁股卡債。他們涉世未深，不了解被人討債的那種「上天無路，入地無門」的痛苦，若是以債養債，最後一定以身殉債。所以從小教孩子節儉的美德是很重要的。

泰皇又說：「自足是靠自己雙足站穩根基，既然站穩就不易被絆倒。」我們看到有些人勤儉做生意賺了點錢後，就想做股票發大財，結果股票失敗，連本來謀生的小店都被牽連倒閉了，所以先站得穩很重要。最後，他說：「自足是自制，慾望有節制的人不易貪婪，也不會佔別人便宜。」

我很喜歡這句「不佔別人便宜」的話，各守本份不佔人便宜，社會就會平和快樂，我們不必花精神提防別人，寶貴的時間和精力就可以釋放出來發展人類的文明，提昇自己的心靈境界。

目前台灣社會最缺的就是這個「信任」，各種騙子一大堆，爾虞我詐，老百姓痛苦得很，不知該信任誰才好。如果能從勤儉開始，做到自給自足，不借別人的力量來幫自己站穩，就不怕被絆倒。心中安定，日子就會過得快樂。

泰皇說：「如果國家也以此為念，世界也會變成一個更快樂、更安全的地方。」他強調在不傷害別人利益下，過一種滿足的生活。這其實就是我們對新政府的期待，看到馬嫂不懼世俗的流風，堅持儉樸，對社會所帶來的影響，令我們對未來有一種新的希望。希望大家都能在不傷害別人利益下，過一種滿足的生活。（《遠見》雜誌二〇〇八年七月號）

9 從古人的成敗學習做人的道理

一個朋友說，他們辦公室有位同仁，去年被調到一個新成立的部門做主管，在歡送會時，他志得意滿的說了一些批評的話，把辦公室每位同事都得罪了。想不到因為台灣經濟不景氣，部門裁併，他又調回原來的辦公室。現在他看到同仁很尷尬，大家進出也特意繞過他的座位，避免打招呼，所以最近他辭職了。

我聽了，想起父親說的「去時留人情，轉來好相見」。人無千日好，花無百日紅，人生的路總是會有上上下下，尤其台灣這麼小，在路上都會相遇，更何況同行，見面的機會更多。紀曉嵐說「得意時勿太快意，失意時勿太快口」，人應該替自己留個退路。現在年輕人如果沒有老人在旁邊教做人的道理，就一定要多讀歷史，從書中體會人生的道理。

我以前看鄭板橋寫「難得糊塗」很不以為然，是就是是，非就是非，怎麼可以和稀泥呢？後來年事漸長，慢慢了解人生有些事聰明在心中即可，鋒芒太露會招忌，而且忠厚傳家久，古有明訓。日本幕府的德川家康原來是出生於弱勢的三河國，六歲被送往今川家當人質，在路上被人綁架，賣到他父親的敵人織田信長家。對方寫信說「棄絕今川，改從織田」，不然就要殺掉孩子，他父親說「要殺便殺，豈能為兒子失信」。德川家康從六歲就被囚禁，朝不保夕，後來今川滅了三河，他變成無家可歸的人，一直到今川被殺，他才不做人質。他從小學會忍耐，可以忍人之所不能忍，別人再怎麼挑釁，他可以按兵不動，等時機成熟了，才一舉出擊，馬到成功。他從小看到兵器銳利固然重要，但是使用兵器的人更重要，他懂得收買人心，讓別人為他效命。

一五八二年武田勝賴戰敗切腹自殺，首級輾轉送到德川家康的陣營，他聽到箱內裝的是武田勝賴的首級，便立刻站起來行禮，然後召集部將隆重正式的祭拜武田勝賴，說：「這麼年輕就壯志未酬，真令人惋惜。」他尊敬的態度和惋惜的話語立即傳到武田的故國。在德川之前，武田的首級也傳到織田信長的陣營中，織田破口大罵，說武田咎由自取。對照德川的厚道和織田的刻薄，武田的遺臣很快的做出抉擇，全部投入德川的麾下，使他能快速壯大自己的聲勢，最後統一日本，結束戰國時代。

所以厚道是做人的根本，我們一定要教孩子不可刻薄，而且要有耐力。德川家康平時看起來很傻，但是在緊要關頭，他傻得很聰明。豐臣秀吉就對部下說過：「家康很會裝傻，他裝傻的本事，你們沒有一個人比得上。」德川曾經讓人看不起，但是最後那些嘲笑他的人一一被他擊敗，被稱為戰國第一忍者。很可惜現在年輕人不肯讀史，所以無法從歷史的英雄人物中學習外表糊塗內心明白的鄭板橋之道。

韓信曾經受漂母一飯之恩，秦瓊也曾窮到賣馬，但是他們都是漢、唐的開國英雄。石崇富可敵國，出門時錦屏二十里，最後還是棄世東市。人生榮辱不可料，凡事心存厚道便好。或許，我們在開書單給學生讀時，應該多放一些歷史書，讓年輕人以古鑑今，從古人的成敗學習自己做人的道理。（《遠見》雜誌二〇〇七年十月號）

第4篇

把我們放在我的前面

1 有心就有美麗的成長空間

在今年總統大選前，大塊出版社的發行人郝明義先生發起一個「希望地圖」的活動，他建設了一個平台，讓老百姓可以上去寫出他們心中所希望的台灣。上網的人非常踴躍，在這些建言中，「給孩子一個安靜、美麗的成長環境」得到很高的票數。我認為這是全部建言中最容易做到的一個理想，只要你、我從自身做起，不必求人，這個理想就可達到。大自然本來是安靜的、美麗的，只要改變國人生活的習慣即可。

其實人本來就不該把自己的家務事講給不相干的外人聽，也不該把電視聲、卡拉ＯＫ聲開得震耳欲聾，擾得四鄰不安。輕聲細語是公共場所的禮貌，只要有公德心，凡事反求諸己即可達成安靜的目的。

「美麗」的基本條件是乾淨，再美的青山綠水，滿地垃圾就不好看了。國人隨地吐痰、隨手丟垃圾的習慣，雖說比過去好多了，但是仍然可見。其實要做到整齊乾淨也不難，也是只要有公德心即可。鞋子是自家穿的，應該放在自己家門內，不應該放在公寓樓梯間的公共空間；自己製造的垃圾應該放進自己的口袋，回家再丟。人能做到把公共空間當做自家空間來愛惜，台灣就乾淨了。

同時，台灣四季如春，應該可以利用花草遮掉很多建築上的醜陋。我們看到歐洲的國家如德國、荷蘭、比利時滿城皆花，覺得很美。其實細看之下，不過是海棠之類，易種且花期很長的花而已。只要顏色搭配得當，不需要名貴的花就可使社區花團錦簇，充滿生氣。

去過南投縣信義鄉久美社區的人，都會感到與別的社區不同，滿地非洲櫻及別的花草。原來當年聽說李登輝總統要來，公家就發了一些錢給社區補妝，種了一些樹和花草。後來總統並沒有來，但是樹已種活，花草也留下種子。久美國小的前任洪校長把社區環境的整潔規定成家庭作業，她要學童把家裡打掃乾淨，把社區的水溝清除、野草拔掉。沒有想到野草拔掉後，苟延殘喘的非洲櫻就有了生存的空間，開始茂盛起來。

學生家長看到社區煥然一新，也開始著手維持社區的整潔。雖然是同樣的鐵皮屋，「牽蘿補茅屋」，爬滿了牽牛花感覺就不同，居民了解到窮沒有關係，乾淨就是美。

在任何社區，只要居民有心，都可以用最少的錢把社區打造起來。只要不自私，想到自己的音樂可能是別人的噪音，己所不欲、勿施於人，就可以給孩子一個安靜、美麗的成長空間了。（《人間福報》二〇〇八年五月五日）

2 惜物與重人

朋友打電話給我說，她們大樓有人搬家，扔出一大堆書，內有許多繪本童話，是偏鄉山地孩子可以用的，叫我快去撿。我急忙飛奔而至，結果發現不只是書，還有很多可用的衣物，有些甚至連標籤都沒剪掉。我一邊撿，一邊感嘆現代的人太不惜物。朋友說：「台北市寸土寸金，一坪五十萬時，誰能拿來堆不要的東西？」她接著說：「現在想起來真冤，我小時候曾因打破一個盤子罰跪一天，誰想到現在成套的盤碗都沒人要了。」

我們小時候物力艱難，每件東西都得來不易，一旦被孩子打破了，就會因不捨而懲罰小孩。我們那時心中都覺得自己不如一個碗、一個花瓶，那種委屈感到現在五、六十歲了還記得。其實勤儉是美德，人應該惜物，但是要做到不「重物而輕人」還真不容易。

有一位教授買了一部新車，想帶他兩個外甥出去兜風。他姐姐一直交代孩子，千萬不可把舅舅的新車弄髒。他把車子開到巷口後，就拿出一罐可樂倒在新車的座位上，兩個孩子嚇壞了，目瞪口呆。他說：「你們只要玩得痛快就好，不必擔心弄髒，要知道髒是可以洗的，因心理拘束而玩得不痛快，就辜負了我今天特地來帶你們出來玩的心意了。」回程時，小外甥真的在車上吐了，但是孩子一點罪惡感都沒有，因為他知道舅舅說弄髒了可以洗是真心的，他不必慚愧或不安。

我看到這則故事時很感動，人不要「形為物役」，東西可以替換取代，但是歡樂的時光往往不能複製。現代人越來越忙，能帶孩子出去玩的時間實在不多，在有限的時間內，我們應該跟孩子好好的玩，不必給他罪惡感。每一天過去了就不會再回來，即使再有一起出遊的機會，年齡不同，心情不同，感受也不同了。

這位教授是個智者，真正了解活在當下（seize the day）的意義。每次看到父母給孩子打扮得漂漂亮亮的帶出門去玩時，都很替孩子難過，穿得這麼整齊怎麼玩呢？什麼事過猶不及都不好，以前抗戰時，中國窮，沒有物資，營長會送出一隊士兵去搶一枝槍回來。現在有錢了，又什麼都不愛惜，暴殄天物。如何拿捏這個標準其實就是我們的價值觀，我們需從這裡著手，教導孩子人生的意義。（《人間福報》二〇〇八年六月二日）

3 肯做不怕沒飯吃

又到了畢業的季節，今年經濟不景氣，工作不好找，報上登說大學畢業生願意降低薪資以求一個工作，他們對薪資的預期比去年低了百分之五，如果能找到兩萬五千元的月薪就很高興。有百分之八十的大學生擔心畢業即失業，人海茫茫，對前途沒有信心。看了這個數字覺得很難過。其實，人生都是從磨練開始，沒有磨練就沒有長進，畢業後一時找不到工作的同學先不必氣餒，可以利用這段期間充實自己求職的條件，同時先了解職場的規矩，使自己一進去就會有好的表現。

在職場上，第一需要的是敬業，早到晚退，把自己份內的事做完後，行有餘力要去幫助其他動作慢的同仁。年輕人不要太計較勞力，許多時候，人在做，老闆在看，他一旦覺得你勤奮、任勞任怨，一定會提拔你，因為我們現在非常需要肯做事、不抱怨的人，只要忠厚、勤奮，即使學歷不足，老闆都願意破格錄用。因為技術不會可以教，人品不好卻難改，所以年輕人最重要的是工作態度。

其次當然是工作能力，所以每個人必須不停的進修、充實自己，不可讓自己被社會淘汰。我們在大腦中有看到終身學習的神經機制，人掌管記憶的海馬迴細胞是可以再生的，人是可以活到老學到老的。現在資訊爆炸，每天湧出的新知不計其數，但是資訊不等於知識，只有經過消化、組織和整理，從自己嘴裡說得出來的才是自己的學問。李光耀說：在二十一世紀，一個人必須有快速吸取訊息的能力和正確表達自己意思的能力，才能跟別人競爭。目前許多年輕人可能是看慣了電腦語言方式，說話常常跳躍式、詞不達意，減低了很多面試的分數。

另一個非常重要的職場要件就是正向的人生觀。有一個主管不能決定升哪一個人做店長比較好，他就打電話去問：請問你們的營業時間為何？甲回答「我們九點打烊」，乙回答「我們開到九點」，結果他升了乙做店長。正向的看事情方式可以鼓勵人上進，減少很多無謂的人事煩惱，如果覺得人人都在找你麻煩、挑你毛病，工作自然不帶勁，升遷就慢了。

中國有句成語非常好：「塞翁失馬，焉知非福。」不到山窮水盡，不要失志，危機如何變轉機全在你一念之間。台灣社會至少到現在為止還是公平的，只要肯做，不怕沒飯吃，機會是自己建構出來的，有志者事竟成。（《人間福報》二〇〇八年六月三十日）

4 流過汗水的果實最甜美

有一天坐公車經過台北市，看到有人大排長龍在買樂透券，我很不解，樂透的中獎率比遭雷擊還小，為什麼還有人要買呢？早在一九七八年，西北大學布里克曼（Philip Brickman）的研究就發現中樂透獎並沒有使人更快樂，如果不是自己努力換來的報酬，就會像站在「享樂跑步機」（Hedonic Treadmill）上一樣，要不斷的尋求更多的報酬才會維持相同程度的快樂。

這真是一個有趣的問題，古人說「人為財死，鳥為食亡」，錢如果能使人為它送命，為什麼又不能跟快樂劃上等號呢？錢對大腦的意義是什麼？

最近有個新領域出現：神經經濟學，它想從大腦來了解人的經濟行為。人為什麼會去買樂透？為什麼會有泡沫經濟出現？人如何做決定要買A而不買B？人為什麼會感到快樂？或是更正確的說，有錢人為什麼不快樂？

研究發現「滿足」才會持久，它與人的其他情緒不同，它不是憑空而降，必須從勞動中得來。這個實驗是請大學生在電腦螢幕上看一系列的幾何圖形，偶爾螢幕中會出現一張一元鈔票，這表示錢將存入受試者的「銀行」，但是在另一個情境中，受試者必須按鍵，這個錢才會存入他的銀行。實驗者在鈔票出現時，掃描受試者大腦，結果發現有按鍵時大腦中紋狀體的活化比較厲害（紋狀體上有大量的多巴胺感受體，多巴胺的多寡與快樂感覺成正相關）。按鍵僅是一個微不足道的動作，但是按鍵代表自己用工作去獲得金錢報償，就比不勞而獲更能引發紋狀體活化，帶來快樂的感覺。

現在實驗上已知，只有挑戰性（challenge）與新鮮感（novelty）會帶給我們持久的滿足感覺。滿足不是目標的達成，而是達成目標的過程，沒有意義的快樂不能持久。

錢和肥料一樣：用得對，可以長出豐碩的果實；用太多，會淹死植物；捨不得用，只會愈堆愈臭。過去經濟學認為工作是負面，金錢是正面，現在發現正巧相反，工作是保持身心健康最好的方式之一。看到最近的金融風暴，我們要引以為誡，不勞而獲的東西不會長久，流過汗水的果實才最甜美。（《天下》雜誌第三六五期，二〇〇七年一月三十一日）

5 不想落單的行為邏輯

一個學生來跟我說他下學期要申請工讀，我有點驚訝，因為我知道他的家境還不錯，便問他：「家裡還好嗎？」他苦笑說：「爸爸下學期不給錢了，因為父子政治立場不同。」我聽了很無奈，政治和宗教是兩種碰不得的東西。

二〇〇四年美國總統大選時，研究者拿著布希和凱瑞（John Kerry）自相矛盾的政見去給共和黨和民主黨的死忠分子看，並且掃瞄他們的大腦，結果發現負責推理的大腦前額葉區活動並沒有增加，反而是負責情緒和解決衝突的邊緣系統血流量增加，研究者認為死忠的支持者根本不是在做理論分析，他們是拚命在替候選人解套，找出自己可以接受的答案。所以說，人不是理性的動物，是專替自己找理由的動物。

密西根大學政治系的教授艾索羅德（Robert Axelrod）和他的學生哈蒙（Ross Hammond）做了一個電腦模擬社會行為的實驗，他們隨機給電腦紅、黃、藍、綠四種顏色的人（顏色和人完全沒有關係），這些人隨機分佈，兩兩互動，可以搬家，也有生死，還可以學習別人成功的經驗，就像一個小型的社會，惟一的規範是住得近互動得多。他們給這些人四種策略，每個人可以⑴和每個人合作，⑵不和任何人合作，⑶只和自己顏色相同的人合作，⑷只和自己顏色不同的人合作。每種策略人數一樣多，每個人至少要和別人互動一千次才停止模擬，結果百分之七十五的人最後都採取第三種策略——只與自己顏色相同的人互動。

為什麼會這樣呢？二〇〇五年諾貝爾經濟獎得主謝林（Thomas Shelling）曾在一九七一年發表一個實驗。他用棋盤的方格來代表房子，黑白棋子代表黑人、白人，兩者數量一樣多，隨機混合，代表社會。他假設每個人都不在乎他的鄰居是誰，只要自己不是社區中的少數民族（假設少於百分之三十）就行了（人都不喜歡變成社區中惟一的其他人種，我們的祖先老早就知道落單的壞處，單絲不線，孤掌難鳴）。結果電腦模擬到最後出來的圖仍然是黑白壁壘分明，所以雖然人們心中沒有種族歧視，最後出來的結果仍是種族隔離。有些表面上看起來是偏見造成的現象，骨子裡可能跟偏見沒關，行為只是遵循簡單的邏輯法則罷了。

這些實驗發現了物以類聚的道理，在原始世界，一開始時沒有任何意義的記號，到最後會承載真實的意義。在一個心胸狹窄的世界裡，只有心胸狹窄的人才存活得下來。美國歷史學家亨利・亞當斯（Henry Adams）說得好：「政治家總是在有系統地組織仇恨，不管它自稱什麼。」如同科普作家布坎南（Mark Buchanan）所說：「所有種族滅絕事件的共同原因是某個政黨領袖利用種族仇恨為動力，特意挑起衝突。在人類歷史上，這些人並不是有什麼力量、才幹或智慧，而是因為他們成功的操縱了社會形勢。」（《天下》雜誌第三七八期，二〇〇七年八月十五日）

6 給孩子享受藝術的機會

在今年總統大選之前，民間團體發起了一個「希望地圖」的活動，讓老百姓上網寫新總統上任最需要做的事，畫出他們心中所希望的台灣。上網的人非常踴躍，經統計後，前二十名都和教育有關，表示人民還是非常關心子女的教育，如慎選有德有才、可以做楷模的教育部長；解聘不適任的老師；落實鄉鎮圖書館的功能；增加教育經費等等。其中有一項我覺得非常可行的就是：每年給老百姓五千元的文化免稅額，讓老百姓買書、看戲劇、聽音樂會，提昇人民的人文素養，也幫助藝術團體的生存。

台灣花在文化上的預算太少了，我們每繳一百元的稅中，竟然只有一塊三毛錢花在文化發展上。這次雲門的一把火讓我們看到文化在政府的眼光中是如此的沒有地位，一個國際級的表演團體，在它自己的祖國居然是這麼不堪的在勉力生存。說實在話，雲門到國際表演所宣揚的台灣名聲遠大於外交部的凱子外交。外交部每年金援某小國的錢，可以讓台灣藝術表演人士「盡歡顏」還有剩。

文化是一個民族的集體人格，是維繫民族命脈最大的力量，《烏干達的天空》（*War Dance*）這部影片讓我們反思：為什麼連年戰亂、飽受戰爭蹂躪的人民還活得下去？答案是「民族音樂」。一個被叛軍的大刀砍成殘廢的少年說：「音樂帶給我希望，它使我願意再看到旭日東昇。」音樂流在他們的血液中，只要聽到鼓的節奏，就是很小的孩子也很自然的搖擺起來，愁苦的臉笑開了，生命的希望進來了。

反觀我們，很少學校有合唱團，音樂課上的是樂理，讓孩子視音樂為畏途。孩子如果不能體會音樂之美，光是知道大調、小調又有什麼用呢？

至於戲劇，這個民族文化的精華，那就更可憐了。每一個民間劇團都是咬牙苦撐，苟延殘喘以求生存。台灣很多孩子終身不曾進過任何一種的劇院。事實上，只要有心做，花一點錢就可使小朋友接觸到表演、喜歡上戲劇。我曾看到山地的孩子坐在文化中心觀賞國光劇團的京劇演出，我以為孩子會坐不住、會藉口尿遁，想不到一個個聚精會神的看，全場鴉雀無聲，連老師都說不知國劇如此好看，以前不該排斥它。

台灣現在還有無數的孩子不曾聽過音樂會、不曾進過劇院、不曾接受過美育。政府不但應該給老百姓五千元的文化免稅額，還應該在教育經費中編列美育啟蒙的預算，讓偏鄉山地沒有辦法用到五千元免稅額的孩子，也有機會享受一下藝術的精華。我是多麼希望，所有孩子都有機會體會到白居易所說「如聽仙樂耳暫明」的境界！（《天下》雜誌第三九五期，二〇〇八年四月二十三日）

7 把我們放在我的前面

有一位朋友找我打聽轉學的事，我很驚訝，因為她女兒唸的是私立名校，當年好不容易抽到籤才進去的。當我聽到理由時，更驚訝：居然是因為女兒學校要演話劇，女兒是班上唯一上過表演藝術才藝班的人，竟然未被選上主角，她認為學校不識才、不惜才，所以要轉學。我問她難道沒有聽過「好花還需綠葉襯」嗎？再好的紅花也要綠葉來陪襯才不會單調，演戲是團隊的整體表現，配角也很重要，奧斯卡不是也有「最佳女配角」的獎嗎？

曾經看過一本書，作者說他小時候參加足球隊，第一天練習時，教練空手而來，沒有帶球。小孩子都不解，沒有球怎麼練球呢？一個膽大的孩子問了大家心中的問題：「教練，球呢？」教練說：「我們不需要球。」大家更驚訝了，打球不需要球那怎麼打？教練問：「打球時，場上有多少人？」一隊十一人，所以總共二十二人。「好，在比賽時，有多少人會同時摸到球？」不論怎麼打，只有一個人手上會有球。「很好，」教練說：「所以我們就要來練習另外二十一個人必須做的事。」

打球是個團隊的事，必須每個人都好，比賽才會贏，所以基本功最重要，沒有練好基本功，所有其他花俏的招式都沒用。要打得好，其他的二十一個人都跟控球者一樣重要，甚至更重要。作者從教練身上學到寶貴的一課，每個綠葉都站對位置，好花就突出了。

目前台灣學生最令人擔心的就是沒有團隊精神，什麼事情都從「我」的出發點去看，所以不能溝通，很多年輕人因為跟同事不合而離職。在國外，從小學五年級起就把作業調整為小組上台報告，一方面訓練台風與語詞的簡潔，另一方面防弊，口頭報告必須真的懂才說得出來，無法從網路下載剪貼交差了事，最主要它教導學生學習合作，小組的成員是抽籤決定的，不可以自己挑，因為出社會後不能挑同事，所以在學校先練習如何跟不喜歡的人一起共事。我們雖然一直看到團隊合作的重要性，但是在學校中卻還是紙筆測驗，以個人為主，沒有照顧到學生如何因應外面職場的需求。

教育應為學生出社會做準備。團隊沒有主角，人人為我，我為人人，只要盡了力，成功不必在我。古人曾說「合字難寫」，現在必須打破這觀念，台灣才會有未來。（《天下》雜誌第三九八期，二〇〇八年六月四日）

8 抱怨就像口臭

開學了，又一批新生進來，因為人際關係與溝通技巧是現代社會成功的第一要件，所以我們借了一個同學在礁溪的老家，去那裡泡湯、埋鍋造飯、大灶燒水，過一天童子軍的生活，讓大家彼此認識。

在大家很快樂的淘米、洗菜時，我注意到有位學生總是一個人，如果她走過去想加入這個團體，雖然一開始時她在這團體內，但是一轉眼，她又落單了，好像打不入核心。吃完飯，大家去散步時，我就特意找了她同實驗室的人來問。學生說，因為她喜歡抱怨，聽久了，大家心情都不好，心情不好，影響讀書的效率，所以就對她敬鬼神而遠之了。

我想起她進實驗室後，第一次跟我說話就是要求換椅子，說不符合人體工學，坐了不舒服，還告訴我，學校有責任提供她一個安心讀書的環境。想不到一個聰明、漂亮、有能力的人，會被這種人格特質打敗。

我在美國讀書時，有一次去一個父執輩的教授家中吃飯。他告訴我：嫉妒是人的天性，中國是個苦難的民族，人人都受苦，有人日子過得好一點時，別人常會眼紅而惡意中傷。所以長久以來，中國人學會了把不好的地方講出來，以消除別人心中的嫉妒，但是這種話在別人聽起來就像是抱怨。美國人不喜歡聽抱怨，老闆東西交下去後，他要的是成果，不是過程中的挫折。

他說：抱怨就像口臭一樣，自己從來不覺得，但是別人受不了。一句話從我們口中出來，自己聽到了叫抒解心情，別人聽到了就變成抱怨。人都是只注意到別人的口臭，不會覺得自己口臭，所以他告誡我不可在別人面前抱怨，人喜歡跟快樂、笑口常開的人在一起，因為心情會傳染的。

他最後說，抱怨久了會找不到朋友，在美國這個社會，沒有朋友，你可就真的有事可以抱怨了。

事隔多年，這位老前輩已經作古了，但是他的話真是金玉良言。在台大時，有一次英文課，老師放了羅伯・甘迺迪（Robert Kennedy）的競選演說，他說：「有些人看到目前的情況，問：為什麼是這樣？我則是夢想到未來的景象，我問：為什麼不是這樣？」

看到八三〇遊行，我不免想，為什麼要沉溺在抱怨聲中呢？八年的沉痾不是三個月的藥可以起死回生的，為什麼不用正向的眼光來看未來呢？在生理上，出力時是無法出聲的，拉縴的人都很安靜，因為他要用力拉著沉重的大船向前行。他們會告訴你，只有用力向前行才能到達彩虹的另一端。（《天下》雜誌第四〇五期，二〇〇八年九月十日）

9 用戲劇和小說感動孩子

台灣生命教育推動了好幾年，但仍然是每四天就有一個學生自殺，令人觸目驚心。我一直在想這件事，或許應該從戲劇和小說著手，令學生心有感動，才會有效。明代的豫章無礙居士在《剪燈新話》的序中寫道：「里中兒代庖而創其指，不呼痛，怪之曰：吾傾從玄妙觀聽說『三國志』來，關雲長刮骨療毒尚且談笑自若，我何痛為？夫能使里中兒頓有刮骨療毒之勇，推此，說孝而孝，說忠而忠，說節義而節義。觸性，性通；觸情，情出。視彼切磋之彥，貌而不情，博雅之儒，文而喪質，所得竟未知孰贋、孰真也。」把小說戲劇對民心教化的影響說得極為透徹。小孩子切到手本會哭，但是剛剛在玄妙觀聽了說書的說關公刮骨療毒，關公是民間非常崇拜景仰的英雄，小孩有樣學樣，關公刮骨還能談笑，我切傷手又算什麼呢？一想也就勇敢地不哭了。

這個不哭是從心中感動而出的行為，不是板著面孔說教可以得到的。中國以前教育不發達，絕大部分的人民是文盲，但是「忠孝節義」深入民心，一直是中華民族傳統的價值觀，就是因為有小說和戲劇的潛移默化，觸性，性通，觸情，情出，它的影響是深遠的。

小孩子最愛聽說書，每每隨著劇情的起伏而喜怒哀樂，不知不覺受到感化。我小時候曾在螢橋底下聽過「秦瓊賣馬」的說書，聽到一文錢逼死英雄漢，便了解金錢的重要性，不敢亂花錢，不知不覺就學到了節儉的美德。

看戲的感動更是不用說了，小時候看《搜孤救孤》，演的是晉靈公時，屠岸賈殺了趙盾一家，連莊姬公主帶孕逃入宮中生下的孤兒都不放過，對於中國人「斬草除根」的殘忍，印象非常深刻；當然更對捨子的程嬰及捨命的公孫杵臼敬佩得五體投地，那是「義」的最高表現：「食君祿，死君事」。有了這種感動，就不會帶著老闆的客戶跳槽了。

劇中人含冤忍辱的勇氣對年輕人也是最好的啟示。讀歷史的好處是以古鑑今，人性不會變，發生在古人身上的事也會發生在你我身上，知道有人受此冤屈而活了下來，做出一番事業，你就不會覺得上天獨對你不公，要以死明志了。

當然更重要的是從書中學會做人做事的道理，《醒世恆言》中有一個「十五貫戲言成巧禍」的故事，父親跟女兒開玩笑說「我把你賣了十五貫銅錢」，女兒信以為真，寅夜逃走，因門未關，壞人婁阿鼠進來，謀財害命，並將罪推到逃走的女兒及同行的路人崔寧身上（故此劇又叫「錯斬崔寧」）。我一生不會跟人開玩笑，就是看到一句戲言、三條人命的後果，這種效果真是比讀四書五經還來得強。

人生觀、價值觀來自生活中一點一滴的潛移默化，不應該用上課的方式教，更不應該考。現在學生越來越會考試，卻越來越不會做事，不如把一些上生命教育和公民課的時間釋放出來，從戲劇和小說著手，讓學生體會和感動，對他們人生的受益或許還更多些。（《遠見》雜誌二〇〇七年一月號）

10 大老遠寄來的愛心

一位素昧平生的先生從美國寄了二萬美元的支票，請我代他做善事，幫助台灣貧窮的學童。他們是五、六十年代去美國留學的台灣學生，學成後留在美國就業，忽忽半世紀。當衣食無憂，存款簿上的零多一個、少一個不是那麼在意時，這一群心繫台灣的留學生（可都是有綠卡的，可見有無綠卡不是問題所在，心在哪裡才是），每月固定捐錢幫助家鄉的孩子。對他們的善心我充滿感激，在異國他鄉奮鬥，若有積蓄，一定會先想到防老；但他們問的卻是：「你快樂嗎？你有把快樂帶給別人嗎？」

自己快樂是先決條件，自己不快樂，生活在你周邊的人也不會快樂；但是自己快樂以後，必須把快樂也帶給別人才是人生的目的。我父親很早以前教訓我們說，年輕時要努力賺錢，以確保自己老年不會成為子女或社會的負擔。五十歲以後要開始回饋社會，因為取之鄉里，用之鄉里。父親對於回饋社會非常堅持，一直強調過了五十歲以後要有一半時間拿出來做公益。他所有說的話中，我們印象最深刻的一句就是「金錢像肥料，用在栽培上，長出來的蔬果大家都可以享用；堆積在倉庫裡，只是一堆發臭的糞土而已」。老人家智慧之言，讓我們後輩享用不盡。

但是用錢本身就是一門藝術，用得不對，給了人錢還會被人罵。小時候的國文課本就有教我們不可「嗟來食」，有志氣的人，寧可餓死，也不會屈辱來就食。古人說「施人慎勿念，受施慎勿忘」是有道理的，給人恩惠，最怕就是做了好事惟恐天下不知，不停地在人前人後邀功，使受惠者覺得「早知如此，不如不接受他的恩惠」。

我父親過世後，我們整理他的遺物，發現有一大疊從日本翻譯過來的法律書稿，紙張泛黃，譯者名字也不熟，問我母親時，才知道有位當年在東北打游擊的老先生，輾轉來台後，衣食無著落，我父親有心幫助他，又怕東北漢子心性剛強，不接受幫助，所以不敢貿然伸出援手。我母親就建議請他翻譯日本書，因為日本曾經佔領東北，所以這位老先生會日文。我父親請他翻譯日本的法律書，以稿費的方式周濟他，維持老先生的自尊。我們聽了很感動。老一輩人做事的細膩和周到，是我們望塵莫及的。

很多人以為有錢就快樂，其實不見得，這錢得自己辛苦賺來，才會最快樂。在研究上，我們看到同樣是得到報酬，但是用自己的手賺到錢的比別人給的，雖然數量一樣，大腦快樂中心活化的程度卻不一樣。這個實驗是：電腦螢幕上只要一出現三角形，受試者就得馬上按鍵逮住這個三角形，這時螢幕右上角會出現一美元的圖像，代表實驗做完後，這個受試者可以拿到這麼多的報酬；另一組是一模一樣的情境，只是得用滑鼠把這一美元抓到螢幕下方的撲滿裡。實驗者同時掃瞄受試者的大腦，結果發現自己動手把錢從螢幕上放進撲滿的人，比只是坐在那兒，知道等一下會有這麼多錢可領的受試者，大腦快樂中心的血流量增多，表示快樂的程度更高。

古人要我們自食其力是有道理的。達文西也說：「快樂和痛苦是連體嬰，背連背，誰也少不了誰。快樂的基礎是痛苦的勞動，痛苦的基礎是虛榮的快樂。」可見只要是真理，東西方的看法都一樣，人也只有花自己賺來的錢最安心。

跟西方人比起來，我們東方人比較喜歡把錢留給子孫，在祖傳秘方上，甚至還有「傳媳不傳女」的說法，不太習慣與人分享，祖先傳下來教我們用錢的諺語也比較少。老子《道德經》雖然有「既已為人已愈有，既已與人已愈多」或是民間的「施比受更有福」，好像僅止於此，大部分人還是有「藏諸名山」的想法，不肯拿出來給別人用。偶爾做好事則是「救急不救貧」，像溫世仁先生那樣救貧的大概是千古絕響。幸好中國人還肯捐教育費，所以中國大戶人家都有一塊學田，以它的收入做為族中子弟讀書的私塾費用，這意思就是給了你上進的方式，上不上進就看個人的意志了。我想今天海外的那位先生捐款也是這個意思，幫助需要的孩子念書，給他一個謀生之技。

讓每一個孩子站在公平的起跑點上跟別人競爭，是文明社會的基本原則。若政府做不到這一點，只好民間來做，讓每一個孩子不論貧富，在基本教育上的機會是相同的。今天接到這位先生的信後，一掃多日台北的陰霾，心情非常的愉快。執政黨常忘記，人民的善良其實是它最大的本錢，有人這麼老遠寄來愛心，讓我覺得台灣還是有希望的。（《金門日報》二〇〇八年二月）

11 做你所愛，愛你所做

很多人都不喜歡在畢業典禮上致詞，因為學生不會在意誰站在台上講話，熬了四年，終於要畢業了，那種歡欣雀躍的心情是靜不下來的。但是亞都飯店的嚴長壽總裁卻有辦法在第一句話就使一半人安靜下來，他說：「今天畢業典禮結束後，從明天開始，你們之中，至少有一半人是找不到工作的，而且可能要很長一段時間才能找到工作！」第二句，全場都安靜下來了：「更殘忍的是，台灣可能根本沒有給你們工作的機會！假如你認為過去在學校所學的東西是一個謀生的工具，你會很失望。」

嚴總裁的話非常對，假如你把學校所學的當做換口飯吃的工具，你真的會非常失望，你必須從工作中找到意義，喜歡你的工作，才能保有這個飯碗，敬業是工作的第一個條件。

外國有句話：「Do what you like, like what you do.」一個人若能做自己喜歡的事

，那真是非常幸運，只可惜天下這麼好命的人不多，想想看，有多少人是可以含著銀湯匙出生，直接跨入家族企業做總經理呢？我們大部分的人必須從基層幹起，慢慢往上爬，而職場上決定你升遷的第一個條件就是敬業。

紐約市民曾經給一位工友盛大的退休派對，連市長都來參加。這個人為什麼值得市長親自來頒獎呢？因為曼哈頓是個島，需有一百五十多部抽水機同時運作，把水抽出去，只要有一部不抽水，海水進來，很快就會使別部抽水機泡水、短路，地下一進水，地鐵就完了，紐約也癱瘓了。因此三十五年來，不論刮風下雨、感恩節或聖誕節，他都拿著手電筒，把曼哈頓的下水道巡一遍，腳上永遠穿著雨鞋，身上永遠穿著雨衣，他的敬業精神確保了紐約人的安全，所以人們感謝他。而他能夠日復一日的做同樣的事，是因為他看到了他工作的重要性。所以人一定要從工作中找到意義，工作才能持久。

四十年前我去美國留學時，父母告訴我：在人浮於事時，你要表現得比別人好才有工作的機會。去上班時，要早到遲退。早一點到，有點時間沈澱一下心情，思索一下今天要做的事，不要追著上課鐘聲、上班鈴聲，這會給老闆不好的印象；把自己事做完後，伸出手去幫忙做得慢的人，不要愛惜勞力，多做一件事不會少一塊肉。老人家的話非常對，系主任看到我不計較勞力，願意多做事，所以給了我四年獎學金，使我能安心讀完學位。嚴總裁也是肯多做多學，藉著幫忙別人的工作，他學會了打字、傳真、發電報等當時還很少人會的技術，很快的升到經理。勤奮敬業常會打開很多你想像不到的門。

另外，在工作中要保持樂觀和幽默感，不要動不動就認為別人對你不好、在找你的麻煩。我有兩個能力一樣好的學生，一個在職場上春風得意，一路往上升；一個做了很久還是工程師。他們兩人的差別就在幽默感上，人都喜歡跟笑口常開的人一起工作。現在公司請人都要經過考試，大家的專業本事都差不多，但是進來後的升遷就和做人大有關係了。這個幽默感不是拍馬屁、討好老闆，因為這會引起其他同事的不滿，看輕你的人格。

所謂的幽默感是四兩撥千斤，例如，美國著名的棒球經紀人有一次收到一份沒有簽名的球員合約，他就把它退回去，上面寫著：「可能是你太急著要加入這支球隊，你忘了在合約上簽名了。」不久，回信來了：「可能是你太急著要給我加薪，你在合約上填錯了數字。」卡內基美隆大學（Carnegie Mellon University）有一位教授每次要別人幫他審論文時，他都在論文中附上一盒薄荷餅乾，上面寫著「感謝您的辛勞，但請先閱讀論文再享用餅乾」。別人只要看到桌上的薄荷餅乾，就會想起論文還未看，這樣就省去催稿的麻煩。甚至，稿件許久未回時，他也只要寫個電子郵件：「請問，餅乾吃了嗎？」別人就會意了。這是非常聰明的溝通方法，意思傳到了，又沒有傷感情。

很多人都以「沒有時間、忙不過來」做為自己工作沒有如期完成的藉口。其實，這是很糟的藉口，因為在職場上，你要懂得分配時間，先做你必須做的事。英文有句諺語：「先做你必須做的事，然後去做可能做的事，有一天，你會突然發現你在做不可能的事。（Start to do what necessary, then what's possible, and suddenly, you are doing the impossible.）」每個人的每一天都是二十四小時，但是有人就能做到別人三倍的事，因為他善於利用時間，這個善於利用時間不只是懂得策略，背後還要有紀律才做得到，不然滿街都是節省時間的撇步書，為什麼只有少數人做到呢？

紀律需要從小培養，下定決心的事要堅持到底，久而久之習慣成自然，當把今天該做的事全部先做完後，自然就能沒有負擔的做你喜歡做的事，積少成多後，有一天就發現你完成了你認為不可能的事。紀律是所有學習的根本，一個沒有紀律的人不能學，一個沒有紀律的人也不會成功。

最後，人一定要把握機會隨時充實自己，才不會被社會淘汰，同時，在自己成功後還要想辦法幫助別人，西諺「Success is when I add the value to myself, significance is when I add the valve to others.」當你能夠站起來後，要想辦法拉別人一把，使別人也站起來，獨善其身會使你在生命消失後沒有留下痕跡，只有兼善天下時，你的存在才有意義，這個世界才會因你而不一樣。

人一定要做他喜歡的事才會成功。人生最值得敬佩的是拿到一副不好的牌，透過智慧與毅力，把這副壞牌打到滿貫。年輕人手上最大的利器就是時間，「事在人為」，請善用你的時間，為這個地球留下一些東西，讓後人感謝你曾經出生過。（《今周刊》第六〇〇期，二〇〇八年六月二十日）

12 兩種自由

在高鐵上，坐在我旁邊的一位高中生對我說，台灣學生最大的痛苦就是不自由。我聽了很驚訝，現在連上衣都可以不放進裙子裡了，怎麼還說不自由呢？他說他被連續記了九次警告，只因為他中午要叫外面的便當，而學校不准。他說他不愛吃學校的飯菜，如果一樣要用錢買，為什麼他不能買他喜歡的便當呢？而且他晚上留下來自習時，學校又允許他們叫同一家的便當，所以他不明瞭為什麼中午不可以，晚上卻可以，他認為很不公平。

自由有兩種：一種是行為上的，另一種是思想上的。自由最重要的一點是以不妨害他人自由為原則，因此社會有法律，學校有校規，同意時要遵守，不同意可以修改。這種是行為上的規範，沒有規範，社會會亂。

比較令人擔心的是思想上的自由。我們常不允許學生與眾不同，常要他們跟別人一樣。

我孩子小的時候，美術課上自由畫，他把我家的貓塗成藍色，背上有翅膀，結果被老師打了個「丙」，一路哭回來。他說貓咪每天在書櫃之間跳來跳去，好像有翅膀似的，他最喜歡藍色，所以他把貓塗成藍色。他問為什麼貓一定要畫成大人要的那一種才會得「甲」。

他的話令我驚悚，人是否有跟別人不一樣的自由？這算不算基本的人權？孩子小的時候，隨便他畫什麼，母親都把它貼在冰箱上，給他獎勵，為什麼長大進了小學，我們就不再允許這種自由了呢？

當每個人想法都一樣時，創造力就消失了。人只有在自由的情況下才會有想像力，想像力是創造力的根本，人如果不曾夢想過飛，就不會有萊特兄弟發明飛機。鋼琴家郎朗在他的傳記中寫道，他彈鋼琴時就好像看到卡通影片中的湯姆與傑瑞在琴鍵上追逐，這個想像力伴他度過一天十小時練琴的苦楚。思想的束縛其實比行為的束縛更嚴重。

孩子一定要有紀律才能教導，學習才會有效，但是遵守者必須心中認同這個規定才會有效，不然會陽奉陰違。常有人說「惡法亦法」，但是一個有智慧、有良知的人會去修改惡法，使它不入人於罪。校規在沒有修改以前，學生要遵守，但是如果學生覺得校規不合理，學生可以要求修改校規。

基本上，孩子有說不的權利，他可以做他自己，不必跟別人一樣，但是一定要讓孩子知道，外顯行為的自由不能妨害到別人，也不能因他的自由而帶給團體傷害；至於內隱的思想自由，那是他的天賦權利，任何人都不能剝奪它。（《人間福報》二〇〇八年十一月十七日）

第5篇

善用大腦的可塑性

1 活到老，記到老

母親逐漸不肯去參加喜宴，因為她有白內障，看人不是很清楚，想近看，又怕不禮貌，偏偏現在的人喜歡考驗別人的記憶力，不先報上自己的名字，卻大聲說：「伯母，你還記得我嗎？」母親不敢說謊，又不能承認記不得，只好說：「謝謝，謝謝。」回家後悶悶不樂，感嘆她逝去的記憶。我們勸她，家中有六個姐妹，同學本來就一大堆，就算是常來家中的，也不可能一一記得。

其實，老人家不必擔心記憶力不好，我們的遺忘是同質性的干擾，年輕人也會遺忘，例如很多人出國前珠寶連續換了三個地方藏，旅遊回來就找不到，記不得最後是放在哪裡了。遺忘通常發生在每天都做的例行公事上，很多人下了班找不到汽車，老半天後才想起來今天根本沒有開車來；或是想不起前天早上吃了什麼早飯等生活上的小事。真正有強烈情緒的事是不會忘記的，一個一九六二年就得了失憶症的美國海軍上尉，他記得一九六三年總統甘迺迪（John F. Kennedy）遇刺，因為對很多美國人來說，那是重大驚嚇。

一般大人的記憶並沒有比小孩子差，實驗發現人到二十四歲以後，記憶才開始走下坡。但是為什麼小孩的記憶看起來比大人好呢？那是因為記憶像塊白板，孩子的白板乾淨，而我們的白板經過幾十年的寫了擦、擦了寫，早就變得花花的，就算沒擦掉，也看不清楚了。情緒就像用彩色筆去寫，使它從雜亂的背景中突出。其實，自一九九八年以來，我們已經知道大腦掌管海馬迴的神經細胞有再生的現象，又看到主動學習可以增加神經的連接，人的確可以活到老、學到老，不必一忘記關火就擔心自己是否得了阿茲海默症，自己嚇自己是會嚇出病來的。阿茲海默症與一般的遺忘不同，它是認知功能的缺失，是給你湯匙，你不知道它是用來吃飯的，給你鑰匙，你不知道它是用來開門的，那才要擔心。

記憶是同步發射的神經迴路，是一種熟悉度。要增加記憶最有效的方法就是常常看，天天看，就記得了。以前做學生時，常把背不起來的英文生字貼在浴室鏡子上，早上刷牙看一遍，晚上刷牙看一遍，平常洗手看一遍，久而久之，不管多長的生字都背會了。現在實驗發現任何學習都要主動，否則東西放在眼前也「視而不見」。老人家只要知道記憶是怎麼回事，就可以用輔具——寫在記事本上——幫助自己平順的過日子，不煩惱就可以活得長了。（《人間福報》二〇〇八年一月七日）

2 善用大腦的可塑性

清明掃墓時，看到前面有位媽媽叫她國中模樣的孩子端著祭品跟著她走，走著走著，突然男孩手一鬆祭品撒了一地，母親氣得大罵：「我這麼聰明，怎麼生出你這個笨兒子！」我聽了暗想，的確會如此，因為人的大腦是環境和基因交互作用的產物，我們不是只受基因的指揮。例如有一種草原田鼠，住在丘陵區的是一夫多妻制，住在草原區的是一夫一妻制，實驗者用核磁共振掃瞄這兩種雄性田鼠，發現一夫多妻的雄鼠在掌管空間記憶的海馬迴後端比較大，因為牠必須記得哪裡有太太；一夫一妻的雄鼠就沒有這個必要。大腦會隨著功能的需求而改變裡面資源的分配。

一夫一妻制的田鼠下一代成長後，雌鼠不會馬上性成熟，要等到牠聞到陌生公鼠的尿液，在廿四小時之內性成熟，才能交配繁殖下一代。大自然這樣的安排是因為近親交配品質不好，會影響種族的綿延，所以大自然使牠在聞到陌生公鼠尿液後才急速成熟，確保了種族的品質。這是環境和基因交互作用的最好例子，大自然的神奇令人嘆為觀止。

另一個很好的例子是動物身上有製造維他命C的基因，牠們不吃蔬果並不會得壞血病，而人類會。在沒有冷藏庫之前，遠洋航線的船員常會得壞血病，因為幾個月看不見陸地，吃不到新鮮的蔬菜。我們的祖先是從動物演化而來的，為什麼牠們有這個基因而我們沒有？其實我們遠古祖先身上也有製造維他命C的基因，但是因為人類定居下來後，可以吃到新鮮蔬果，就沒有必要再保留這個基因了。當然，那時候祖先絕對沒有想到後世子孫會發明輪船去航海。講到這一點，中國人的聰明才智的確高人一等，鄭和下西洋時，也是一走幾千里，但是他在船上孵豆芽，豆芽可以提供維他命C，解決了壞血病的問題。

人能夠在惡劣的環境生存下來，大腦的可塑性有很大的貢獻，我們不停的因應外界需求改變大腦的結構。物種整體的演化是很慢的，但個體的改變卻是很快可以看見，最近有一本新書討論網路數位化時代的來臨，已在E世代孩子的大腦上留下痕跡，科學家已經看到大腦神經迴路的改變了。大腦如果有這麼大的可塑性，我們希望有什麼樣的孩子就需要給他什麼樣的訓練，要他不打翻東西，平日就要多訓練他謹慎小心做家事，因為可塑性代表著沒有不可教的孩子。「種桃李者得其實，種蒺藜者得其刺」正是最好的寫照。（《人間福報》二〇〇八年四月二十一日）

3 多元化才有競爭的本錢

朋友實驗室有個博士後研究員的缺，我想推薦我的學生去，朋友不要，說他要找外國的博士。我說土博士並不輸給洋博士呀！他說，不是這個原因，台灣本土訓練出來的學生，思維方式都很相似，碰到問題都是從相同的方面思考，不容易突破；外國人的文化背景跟我們不同，他們看同一件事時角度跟我們不同，常會有創意出來。這點我完全同意，我們實驗室有位丹麥來的博士後研究員，每次遇到研究瓶頸，他都能提出很好的建議。

創造力在學術上的定義是「從不同的角度看同一個問題」，創造力不是發明新的東西，而是從已經有的東西裡面看到別人沒有看到的東西，這是為什麼要腦力激盪集思廣益，才會有新的點子出來。一個實驗室的成員同質性太高，就不會有創意，因為我們是思想的奴隸，心智的桎梏（mental set）。

有一個很好的實驗說明了習慣是創造力最大的敵人。這個實驗是給學生看AB

C三個水瓶，A瓶容量23公升，B瓶129公升和C瓶3公升，請學生用這三個不同的水瓶量出100公升的水來。學生就用 129-23-3-3=100 (B-A-2C) 得到正確答案。第二題、第三題皆是B-A-2C得到正確答案，到第五題後，學生已經習慣套公式，等到第六題，A為23公升，B為49公升，C為3公升，要量20公升的水時，學生想都不想就去套公式，不會看到直接A-C就可以了。但是另一組從來不曾接觸過B-A-2C題目的學生，看到第六題時，會馬上從23公升減3公升得到20公升，絕對不會走遠路。這個實驗，讓我們知道人多麼容易被習慣綁住，不再用大腦去想還有沒有更好的解決方法。

我們知道二十一世紀的財富在腦力，我們應該盡量爭取人才，以提昇我們的競爭力。目前台灣的開放程度不夠，我們看到大陸有「引智計畫」，每年想吸收四十萬個外籍專家，韓國推出了「外國人生活環境改善」的五年計畫，新加坡更是早就已在大量招募海外的人才，他們的目標是達到一百萬人。反觀我們還在鎖國，外籍人士要三張證照：外僑居留證（ARC）、應聘居留簽證（Work Visa）、工作許可證（Work Permit），才能在台工作，手續繁複不說，最麻煩的是它們分屬不同機構掌管，辦一份證件要跑斷腿，外國人視為畏途。

我們過去一直把外國人當做分一杯羹的對手，防範、刁難他們。其實在腦力競爭的世紀，我們需要全世界最優秀的大腦來為我們做事，共同創業，有創業才會有就業機會。只要這個心態一改，「外人」就變成「內人」，刁難變成爭取。當然最主要的是我們培養自己人才時要多元化，鼓勵學生多閱讀，多體驗不同文化來增加他大腦神經迴路的連接，這樣才能觸類旁通，舉一反三，使創意自然出現，我們才有競爭的本錢。（《天下》雜誌第三七六期，二〇〇七年七月十八日）

4 突破大腦的妥協性

一位國中老師跟我說，有一件事他想不通：在班上，如果一個好學生表現得好，我們不會特別獎勵他，但是一個壞學生如果今天不打人、不鬧事，我們就會特別誇獎他。為什麼我們對壞孩子標準寬鬆，他們只要稍微乖一點，甚至不到好學生的十分之一，我們就獎勵他，這是不是雙重標準？這真是一個好問題。

有一個孩子向神父告解說他偷了東西，他問：「假如從現在起，我少偷一點，我還是個好孩子嗎？」神父說：「不會，偷一點跟偷很多，罪都是一樣，你一點都不能做。」孩子討價還價說：「我已經偷了很久，無法立刻停止，如果我只偷週末，不偷週日，我可以算是好孩子嗎？」神父說：「不行，你一定要完全停止，偷竊就是偷竊，你偷就會下地獄。」

孩子聽了呆了半晌，自言自語說：「那麼，我爸爸也要下地獄了。」神父聽了很驚訝，說：「怎麼會呢？我認得你父親，他是一個非常有愛心的人，他開工廠，給人們工作的機會；他辦文化活動，給人們休閒的機會；他出錢蓋醫院，他甚至拿到環保獎章，因為他減少了百分之八十的環境污染，你父親是英雄，他會上天堂，你怎麼說他會下地獄呢？」

孩子看著神父說：「我不了解，我如果偷少一點還是要下地獄，為什麼我父親少污染一點，他就是英雄呢？他還是在污染地球，不是嗎？」

這真是很矛盾的事，我們的大腦偏向注意不好的事情，這是演化要我們未雨綢繆的緣故，人的前額葉只要環境有一點不對勁，就會發出「有禍事了」的警訊，我們的扣帶迴就立刻集中注意力去看是什麼樣的禍事，趕快通知各相關部門預備反擊或逃命。因此，大腦對正常的事常視而不見，把精力留起來處理異常的事，演化的結果使行為準則出現多重標準：打架或污染等壞事原是讓我們憂心的事，現在情況改善了，一項危機解除了，我們就感謝讓我們安心的人，因此，會吵的孩子有糖吃，因為大腦害怕破壞它平衡的人。

雙重標準絕對是不對，無奈大腦是個妥協的懦夫。難怪我們對高風亮節的人特別敬重，因為他們能做到我們所做不到的。所以教育就是要使下一代的學生能突破大腦的妥協性，因為一個沒有公與義的社會是維持不久的。（《天下》雜誌第三八二期，二〇〇七年十月十日）

5 氣味與情緒

朋友多年前因車禍傷了大腦，失去嗅覺，想不到嗅覺的喪失導致嚴重憂鬱症，使她數度進出精神病院。

我們一般都認為嗅覺不重要，美國的醫師協會在《永久性傷害評估手冊》中，將失去視覺對生活品質的影響定為百分之八十五，將失去嗅覺只定了百分之五，好像眼睛看得到，耳朵也聽得見，還能說話，人生應該就不會有什麼抱怨了。殊不知嗅覺跟情緒有直接的關係，大腦中處理嗅覺和情緒的地方是在一起的，兩者關係比大腦任何兩個地方的關係都密切。臨床上，失去嗅覺容易引起憂鬱症；有憂鬱症的人嗅覺也不靈光，若把老鼠的嗅腦切除，結果這隻老鼠就不吃、不喝、不動，對原本喜歡的玩具沒興趣，活像一個憂鬱症的人。

嗅覺也是五種感官中唯一不經過中途站，直接到杏仁核的一個感官。杏仁核是大腦中掌管恐懼、憤怒等負面情緒的中心。我們都有這種經驗，越怕狗，狗越來找你；你很有自信的騎上馬，馬就聽你指揮，動物可以「聞到恐懼」。事實上，我們對嗅覺的依賴很深，若把眼睛矇起來，鼻子塞起來，我們吃不出蘋果和洋蔥的差別，從這裡就可以看到嗅覺的重要性了。

失去嗅覺的人表面上看起來很正常，但是他的生活品質卻全都改變了，再好的山珍海味，聞不到香氣時，味同嚼蠟；聽得見鳥語、聞不到花香時，春天的樂趣少了一半。氣味會影響情緒，而情緒會影響行為，這是我們前所未料的。

嗅覺是提取記憶最好的線索，也對潛意識行為有很大影響力。有個實驗給受試者做一些很難解的題目，在這同時，釋放出杏仁的氣味，隔了一週後，再把學生找回到實驗室，這次給的題目比上次容易多了，但是在聞到跟上次一樣的杏仁味時，很多學生對稍難一點的題目就立刻放棄了，好像他已經把困難不會解跟杏仁味畫上等號，聞到這味道就想起來上次的挫折，於是放棄了。杜克大學的實驗者把香草和巧克力的香味噴灑在紐約的地鐵中，發現原本的推、擠、吵架的事件少了很多。

如果正向氣味會引發正向情緒，那麼現在台灣社會這麼暴戾，我們何不把入聯公投、正名等做這些無意義事情的錢拿來鼓勵老百姓種花呢？當大街小巷都是花團錦簇，家家戶戶窗口飄送出來的都是花香而不是吵架聲時，人民的生活會不會快樂一點呢？（《天下》雜誌第三九〇期，二〇〇八年一月三十日）

6 以能變應萬變

微軟公司（Microsoft）為了鼓勵創意，在巴黎舉辦了一個國際性的軟體設計及短片比賽，全世界的大學生都來參加，尤其東歐各小國的學生更是踴躍，大家都希望一躍而上國際舞台。我們台灣也有三隊代表參加。我先生很榮幸地受邀擔任這個「想像盃」（imaging cup）的國際裁判。因為我們學生電腦軟體的實力很強，所以他很興奮的上飛機，認為應該可以抱回幾個大獎。

今年的主題是環保，所以我們學生設計的是在摩托車的安全帽上裝晶片，透過衛星定位，預知要走的路空氣污染的情況如何，使他可以選擇不同的路。外子每天都寫電子郵件回來報告戰情，使我也跟著緊張，好像當年看少棒轉播一樣。比賽結果很不幸的是我們三隊都輸了，不是輸在寫程式的能力上，而是輸在應變和表達方式上。

我看了很感慨，這一直是我們的弱點，我們的教育一直趕不上時代的腳步，外面世界的潮流千變萬變，而我們一直自欺欺人說「不變應萬變」，結果是空有好技術，不懂得推銷自己、強調自己的長處，輸在不該輸的地方，令人扼腕。韓國跟大陸在這方面很強，他們訓練他們的學生不管有理沒理都能侃侃而談，推銷自己。

其實這個問題在去年就出現了，去年的主題是教育，拿到冠軍的是泰國，泰國的學生英文不及我們，但是他們表達的熱情感動了裁判，拿到高分。痛定思痛、亡羊補牢，我們應該誠實的回過頭來檢討我們的教育方式。

就因應二十一世紀的需求來說，我們的教育到現在為止，還是著重紙筆測驗，很少在課堂上訓練孩子用辨證的方式思考。真理是越辯越明，佛教就是這樣培養他的僧侶，在西藏的喇嘛廟中，僧侶每天有固定時間讓別人發問來考他對教義的了解。三藏法師就是用辯經的方式贏得西方高僧的敬佩。

我們的大腦凡是思考過的、經驗過的神經迴路會連在一起，思考的次數越多，或做的次數越頻繁，神經連接得就越緊密，下次碰到相關的議題時，只要這條迴路的某個神經點被活化了，其餘的迴路會像水閘的門打開了一樣，立刻活化起來。因此，如果平日常做辨證的訓練，臨時被問時，就可以很快、很周延的回答出來，因為這些神經迴路已經在大腦中連接好了，不必花時間重新組合。

我們的學生缺少這種訓練，因此在「軟體設計」這一項最後的十分鐘 Q&A 時，輸給了別人。當裁判問「你的設計可以知道哪一條路的空氣污染比較少，但是你並不能減少環境整體的污染」時，我們的學生就無法立即回答「但是我知道哪一條路空氣比較乾淨，可以走那條路，這對我的身體健康有幫助」，像這樣的應變，是在台灣教育中應該加強的。（《天下》雜誌第四〇二期，二〇〇八年七月三十日）

7 教育要了解大腦

一九五五年，愛因斯坦（Albert Einstein）與羅素（Bertrant Russell）提議在加拿大新斯科細亞的小鎮帕克瓦許（Pugwash）舉辦一場有關科學與人類福祉的會議，因為那時他們已深切的感知到科學的進展已威脅到人類的和平。這個會議一直延續到今天，持續討論「科學、倫理與社會」（Science, Ethics and Society）的主題，與會者都是科學界的龍頭或諾貝爾獎的得主。二〇〇八年的會議將在拿破崙的家鄉科西嘉島召開，會議主題是如何利用科際整合所創造出來的技術來為人類謀福祉（converging technology for the improvement of human health and performance）。它的「整合的科技」指的是Nano（奈米）—Bio（生物）—Info（資訊）—Cogno（認知神經科學）（NBIC）四個進步得最快的領域。

科學必須與社會互動才會有影響力，認知神經科學的進步改變人對自己的看法，也改變了教育的觀念。過去大家都認為大腦定型了不能改變，神經細胞死了不能再生，近年來透過功能性核磁共振（fMRI）、正子斷層掃描（PET）及腦磁波儀（MEG）等的造影技術修正了這些教條。

德國蒲朗克研究院（Max Planck Institute）做了一個研究，他們先掃瞄大學生的大腦，然後請他們練習拋接三個球，要練到一分鐘球不落地才可停止，這時再掃瞄一次大腦，然後請他們回家休息，不要碰這些球，三個月後再來掃瞄大腦。當研究者把同一個人的三張大腦片子排在一起比較時，很清楚的看到大腦的運動皮質區和前運動皮質區在第二次掃瞄時明顯增大，第三次掃瞄時又變小了。也就是說拋接球的動作改變了大腦處理這個動作的區域範圍，有需求時，大腦分配給它的資源多，不用了，大腦又把它收回來，給要用的人用。我們可以說大腦功能的分配是「各盡所能，各取所需」（from each according to his ability, to each according to his needs）。

研究者也發現，盲人的大腦視覺皮質在他讀點字時活化了起來，盲人眼睛是瞎的，視覺皮質沒有用到，所以就被閱讀點字拿去用了。現在有很多的實驗證據顯示，大腦會因為外界的需求而改變裡面功能的分配，這對教育者是很大的鼓舞，我們可以說沒有不可教的孩子，就算他先天有缺陷，後天的努力也可以改變內在神經迴路的連接方式。就像一位自閉症孩子的母親說的：「你教你的孩子是一遍、兩遍，我教我的孩子是一萬遍、兩萬遍，我的單位是以『萬』起跳的。」這位母親果然把她自閉症的孩子教到可以說話。天下無難事，只怕有心人，盡力去做都會有進步。過去我們把大腦比喻為電腦，這是錯誤的，因為大腦會因練習而改變，也會修復自己，而電腦不會。

另外，科學家在大腦中也看到終身學習的神經機制。研究者在管記憶的海馬迴的齒迴（dante gyrus）上發現神經細胞有再生的現象，學習永遠沒有太遲這回事。其實學習不只是記憶而已，理解更重要，歌德說「what we do not understand, we do not possess」，你不能擁有一個你不了解的知識。歐洲各國現在都大量投資在教育上，因為高科技對人民素質的要求高於任何一個時代。教育是國家的根本，史密斯（Ernest Smith）說「If the learner has not learned, the teacher has not taught.」現在是我們坐下來重新檢討我們教育政策的時候了，一個不符時代需求的政策，只會把國家推向滅亡。（《科學人》雜誌二〇〇七年五月號）

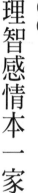

8 理智感情本一家

民國五十八年，我上洪遜欣老師的法理學時，洪教授花了一堂課的時間跟我們講理智與感情這部雙頭馬車如何駕馭著我們的行為，人為什麼不是一個理智的動物。的確，從亞里斯多德以來，我們都認為理智與感情是相對立的力量，互為消長在拔河。法律的訴求就是感情與理智的平衡。想不到，過了四十年，神經科學的進步使我們發現它們原來不是對立的，而是一體的兩面，如果沒有感情，人就不會作判斷，理智也就沒有用了。

美國愛荷華大學醫學院神經科的教授安東尼・狄馬西奧（Antonio Damasio）有一個病人A君，本來是大公司的經理，是個好爸爸、好丈夫，但是不幸前腦長了一顆像橘子那麼大的瘤，醫生開刀把瘤切除，也切去了病變的前額葉，最主要是切除了兩邊的眼眶皮質（orbito frontal），結果他整個人都改變了，他變得沒有感情、很冷漠，任何事都無動於衷，但更令人驚訝的是，沒有了情緒以後，他不能作判斷了，沒有事情能使他生氣，也沒有事情能帶給他快樂。他像個旁觀者，跟任何事情都保持著距離。

當他看到殘忍的血淋淋圖片時，他的心跳、膚電反應一切都跟平常一樣，沒有像正常人一樣有情緒的起伏，他可以告訴你這些圖片是怎麼回事，但是他沒有情緒反應，最糟的是他沒有了道德觀，他知道什麼是對或錯，但用到自己身上時，他無法作判斷，不知該不該做，他了解，但是無法感受，因此無法執行。公司給他的遣散費因為投資判斷錯誤很快就被人騙光。不但金錢的判斷不準，連人的判斷也不行了，他的三次婚姻都是離婚收場。

這個病例是第一次讓我們在病人身上看到沒有了感覺，也就沒有辦法選擇，就沒有辦法判斷。理智和感情是一家的，沒有焦慮，沒有煩惱，但是也沒有了未來。我們從小接受的教育是要用理智駕馭感情，怎麼會想到感情這麼重要？從狄馬西奧的描述中，A君的IQ和理智都正常，他可以描述看到血腥圖片他應該有什麼反應，但是沒有辦法感覺到情緒，所以他的理智也就無用武之地了。

美國最近也有兩個相似的報告，都是嚴重車禍，使得嬰兒大腦的前額葉受損，這兩個孩子成年後，變成不服管教的人和冷血的殺手，因為他們無法感受別人的痛，就不覺得他這樣做有什麼不好，他們對做壞事完全沒有悔恨，唯一的悔恨是不該大意留下線索被警察抓到。他們可以念書，禮義廉恥也講得頭頭是道，但是無法把書本上念的應用到自己生活上。

看到這些報告，我們驚訝過去二千年來哲學家所辯論的竟然是一個假象，皮之不存，毛將附焉？難怪人的情緒中心藏在大腦的深處被皮質保護著，因為它太重要了。誰會想到失去了情緒，竟然連與它對立的理智也無影無蹤了呢？（《司法周刊》二〇〇六年八月）

9 安慰劑與假手術

最近股市崩盤，各國領袖紛紛出來喊話要人民有信心。這信心究竟是什麼？為什麼有信心股市就不會崩盤？

在醫療上，有個安慰劑效應（Placebo Effect），它是個心理作用，如果給疼痛的病人吃糖片，只要病人相信它是止痛藥，吃下去，痛就會減輕很多。實驗發現這個心理作用至少有藥物三分之一的功效。所以古人說「攻心為上」是有道理的。

這個效應是六十年前，美國加州的長堤醫院發現的，有位病人「久病成良醫」，每天研讀最新的醫療報告，他發現芝加哥的醫學研討會上，有人報告馬的血清對腫瘤有效，便一直要求醫生給他注射馬的血清，醫生被他纏不過，在某個星期五的下午替他注射了一劑鹽水針，告訴他這就是馬的血清。等到週一醫生來上班時，病人脖子上的腫瘤消失了，「如雪球在火爐上般溶化了」（這是醫生當時在病歷上寫的話）。醫生大為驚奇，病人甚至好到可以跟護士打情罵俏。

但是有一天，這位病人又看到一個醫學報告說，最近發現馬的血清是無效的，病人一驚，便倒地不起了。從此以後，科學家即大力探討安慰劑效應，發現這個心理作用非常強，只要病人相信它是特效藥，都有減輕病症的作用。一九九九年哈佛大學發現假手術（只劃開皮膚，並沒有真正動手術）的療效竟然可以高到百分之八十，比真正動手術的效果還好了百分之四十。因此，最近腦造影技術精進後，認知神經科學家便在大腦中尋找「信心」的所在地。

實驗者給受試者看一些簡單的是非題，如(2+6)+8=16，62可以被9除盡，加州比羅得島大等，請他們回答。當他們作「是」或「否」的選擇時，掃瞄他們的大腦。結果發現是與否在前額葉皮質、邊緣系統和基底核活化的地方不同。「是」的反應時間比「否」快了很多，表示「是」和「否」是兩個不同的系統在負責的。一個人如果相信某句話，這句話就轉為思考的根據，成為行為的來源。

這個實驗發現，只要是作決定都和情緒有關，「是」的反應跟大腦中掌管回饋、獎勵，吃了好吃的東西和聞了香的味道的快樂中心是相同的地方，接受一句話，相信一個人，回答「是」時，我們的語氣是快樂的。史賓諾沙（Baruch Spinoza）說：「人，天生傾向於相信別人，直到它被證明為不實。」人喜歡相信別人，因為相信帶給我們快樂。

人的行為和情緒受到信念的影響，雖然大腦很多高功能的地方都與是非的決策有關，但最終決定的地方卻是比較原始的「快樂中心」。「真相是美麗的」，這句話可能不只是比喻，說真話帶給我們快樂。最近很多人不看電視了，可能跟電視上說假話的人一大堆，引起觀眾厭惡的感覺有關吧！假話正是在大腦處理厭惡情緒的地方處理的。（《天下》雜誌第四〇八期，二〇〇八年十月二十二日）

10 改變大腦才是治本

近年來，因為腦造影技術的進步，我們可以在活人大腦中看到這個人在思考、說話、做決策時，大腦各區域線上的工作情形，這個資訊改變了很多我們過去對人的行為的看法。古人說「清心寡慾」其實是很對，因為沒有慾念，就不會有行為，如果要去除一個不要的行為，必須從觀念改正起，而且還得有配套措施，同步加強要的行為的神經迴路才會有效。過去我們只是禁止孩子某些行為，但是沒有給他指出可以做哪些替代行為，結果發現只是一味禁止，孩子會陽奉陰違，心中很想時，還是會偷偷做。現在知道必須用一個我們可以接受的行為去取代不可接受的行為，矯正才有效。

青少年飆車是個很嚴重的社會問題，常常傷及無辜。美國聖地牙哥二〇〇二年一年就有十四名青少年死於飆車，三十一人重傷。他們通常是你抓我躲，警力一撤走，他們就出現，防不勝防，禁不勝禁。最後聖地牙哥政府聽從學者的勸告，成立

「合法飆車」的專案，將該市美式足球場在沒有比賽時，開放給年輕人飆車，參加者只要繳一點錢，有合法的駕駛執照，有文件證明他是合法的使用這部車子（不是偷來的），便可以去球場飆車。

一開始時沒有人去，因為馬路是免費的，何必付錢做本來免費就可以做到的事情呢？這時，配套措施就要上場了，市政府嚴格取締飆車，警察開始用V-8錄影機拍攝違法者，然後叫拖車到飆車者的家裡把車子吊走，用手銬把飆車者帶走，送進監獄。他們用嚴刑峻法逼迫年輕人進入合法飆車場：吊銷執照一年，罰款一千五百美元，執照記點二點，車子入監三十天，罰一千美元。假如你還敢在街上飆車，第二次被逮到時，你的車就永遠被沒收，即使車主是你父母或租來的都不管，你得在牢裡蹲更久。

二〇〇一年，聖地牙哥郡起訴了二九〇件案子，二〇〇二年一五五件，到二〇〇三年只剩六十件。這件事會成功是因為執法者和立法者兩者密切合作的關係：一方面強大警力取締飆車，嚴格執行法律，一方面政府提供青少年一個合法飆車的安全場所。到二〇〇五年，一整年裡聖地牙哥都沒有人因飆車而死亡，只有三個重傷。「合法飆車計畫」提供青少年一個合法的發洩管道，它使不合法的街頭飆車事件急劇下降，減少無辜市民的死亡。聖地牙哥的成功使別的城市紛紛前來取經，在奧克拉荷馬州的諾伯市（Noble），青少年只要花十五美元就可以在星期五的晚上去賽車場賽車。每個月的第二個星期五的晚上，年輕人可以用他自己的車子與諾伯的警察賽車，警察開的是巡邏車，這很像把電玩遊戲中的賽車情景搬到真實世界來，使青少年非常興奮。

現在亞特蘭大、拉斯維加斯和印地安那州的孟斯，都有同樣讓青少年合法發洩的地方。雖然很多父母覺得讓沒有受過特別訓練的孩子去參加時速一百哩的賽車很危險，但是在合法場地中，用的是直線的車道，沒有轉彎，而且只有八分之一哩長，比較不會出事。最主要的是，研究者發現，告訴男孩不要去馬路上飆車不是一個有效的方法，你必須提供他一個合法的選擇。

現在有好幾個實驗都是利用大腦的新知識來改善孩子的行為。如妥瑞氏症（Tourette's Syndrome）的孩子會不由自主的眨眼、抽搐臉，手做出重複性的動作，喉嚨裡發出難聽的聲音。他們的重複性動作往往是有傷害性的，若是懲罰這個打人的孩子對這孩子不公平，因為這個病是基因上的關係，他自己無法控制；但若是放任他去打人也不可以，因為他不應該傷害無辜的人。最近用行為治療法矯正這個打人的行為，發現效果很好。當他要打人時，立刻把他的手移去玩水或澆花、做任何他喜歡做的事，久而久之，當要打人的意念出現時，他的手就轉過去玩水、澆花了。

人的行為是大腦意念的產物，如果能從大腦的觀念中直接改變，觀念正確了，行為也跟著改善了。不過很多時候，壞習慣已形成堅強的神經迴路，這時，責罵和體罰只會暫時性的抑制這個行為的出現，並不能使它真正消失。從早期行為主義的動物實驗中，我們知道一個已被消除的行為仍然會「自然回復」（Spontaneous Recovery），只是強度沒有原來這麼強，要過許久這個神經迴路的連接才會慢慢鬆掉。如果這個等待消除的時候再給動物一個「增強」（即當時做為獎勵的報酬物如食物或水），這個行為就馬上回復到它原來的強度。就像戒酒的人一定不可以再讓他沾到酒，一沾到酒，哪怕只喝一小口，他過去對酒的慾望與渴求就馬上回復，因此只是禁止效果不好，從神經學上得知，最好的方法是打散原來的連結重新形成我們要的迴路。

我們都有這種經驗，在A城住了很多年，自己家的電話號碼是熟悉到連睡覺時都可以隨口說出，但是換到B城去住後，才幾個月，A城舊家的號碼就不記得了。甚至在同一城中，只是搬了家，換了新號碼，舊號碼也很快的就忘記了，這就是因為新的神經迴路取代了舊的神經迴路的關係。

過去，我們都以為大腦像電腦，設定了就定型了，一成不變了。最近的研究發現那個比喻是錯誤的，大腦一直在因應外界的刺激而改變裡面的神經組織，它有很大的可塑性，大腦可以修復自己，而電腦不行。這個錯誤的比喻誤導了腦科學，尤其是人工智慧的研究二十年。二〇〇七年亞馬遜書店科學類十大好書中有一本《改變是大腦的天性》（*The Brain that Changes Itself*，中譯本遠流出版），講的就是大腦如何改變自己以適應外界的需求，教人如何利用大腦的可塑性做到終身學習，使自己永遠在進步中。

大腦的新知識對制定和執行法律的人來說很重要，因為凡事正本清源，只有從源頭改正，行為的改善才會有效。（《司法周刊》二〇〇八年五月）

第6篇

教育投資越早越好

1 經師易得，人師難求

有位讀者寄了兩張剪報給我，一張是台中某國中的女生因未按照規定穿中統襪參加畢業典禮，被拒在校門外。這學生的母親因需工作無法前來觀禮，她一時不知該怎麼辦，因家住得遠，來不及回去換，別的家長看到了，便自告奮勇代她求情，結果被生活教育組長吼道：「滾出去，有你這樣的家長，才生出這樣的女兒。」其實這位家長很無辜，這個學生穿不穿中統襪跟他好不好無關。女學生急得哭了時，還被這位組長罵「哭屁」。後來其他的家長看不過去，買了一雙中統襪來，這學生才得以參加她自己的畢業典禮。

另一張剪報是台北護理學院畢業典禮，有位老師一身休閒服、背著網球拍上台去為穿學士服的學生頒獎。這位讀者用斗大字寫著「只許州官放火，不許百姓點燈？」我看了好生難過，這兩件事都不應該發生的。

畢業典禮是人生的一個里程碑，代表求學告一段落，人生另一個階段的開始，一般都以肅穆的心情看待它。對大學生來說，它更代表脫離被呵護的年紀、走進社會做大人，而且同切共磋的同窗從此各奔東西，在心情上也是複雜的。在這一天，老師若能多諒解學生一些，學生會很感激的。

其實老師和學生應該是站在同一陣線，跟學生一起解決問題，不應該像這位老師這樣跟學生對立，讓孩子滿懷怨恨的離開母校。我記得我孩子高中畢業時，老師入場，全體家長起立向老師致敬，感謝他們教導我們的孩子，當畢業生入場，全體家長、老師也都起立，因為這一天是屬於孩子的，就像婚禮那一天是屬於新娘子的一樣，不需要為了一雙襪子弄得畢業生哭哭啼啼，大人吵得面紅耳赤。

至於北護的老師真的讓人無話可說，為什麼穿個休閒服就上台，連網球拍都不願取下來呢？假如襪子不合規定就不能進禮堂，那麼穿休閒服就能嗎？我們能怪學生心中覺得不公平嗎？

韓愈說「師者，所以傳道、授業、解惑也」，如今資訊發達，知識取得容易，學生或許可以自己上網得到知識，只有第一項要靠老師以身作則，做給孩子看什麼是社會接受的行為。老師要常警惕自己該如何才不辱「為人師表」這四個字。

看到這兩張剪報，加上前教育部主祕莊國榮事件，真是讓人感嘆經師易得、人師難求啊！（《人間福報》二〇〇八年七月十四日）

2 沒有好老師，哪來好學生？

朋友送我一個終生保固的背包，我興沖沖的用它裝了剛出土的鮮筍揹去母親家，誰知才用一次，縫頭處就脫線了。母親叫我馬上拿針線出來縫，說小漏不補、大漏補不了，我卻不願，心想拿回店裡去退，哪有用了一次就脫線的道理，太不甘願了。母親看我不動便自己拿出針線、戴上老花眼鏡來補，嘴裡說「時代不同了，像我們家那種民國四十三年的老電扇還可以用的東西已經不多了」。

那倒是真的，以前的東西可以用很久，我出國時帶了一個大同電鍋去煮飯，它跟著我跑遍全世界，現在還在我家廚房替我煮飯。不知為何，我喜歡這種忠誠可靠、敬業的老式作風，就像長城的磚，底部都刻有某保某甲某人製作，到現在兩千多年了，任憑風吹日曬雨打仍然存在，製作者留下自己的名字，一方面表示負責，一方面也是驕傲，「這是我的產品，從我手上出去的東西沒有瑕疵」。老一輩的做事一絲不苟，我父親的西裝，穿到他過世時，每一根線還是牢牢的在它應該在的地方，因為西裝內袋繡有裁縫的名字。

我正在懷古時，眼睛不經意看到，桌上的報紙登著今年台藝大進修學士班的英文入學考試題目跟兩年前（二〇〇六年）的一模一樣，一字未改，因為考古題有上網，因此馬上被學生告發。我看了簡直不能相信自己的眼睛。入學考試是決定孩子前途的重要考試，十年寒窗在此一試，不是一般的期中考。在古代，出這種差錯是要腰斬的，怎麼現在不把它當一回事了呢？出考題不是有出題費嗎？怎可如此搪塞了事？古人不是說「食人之祿，忠人之事」嗎？竟有老師如此偷懶、如此不敬業，實在太離譜了。教育最重要的是身教，台灣的教育走到這個地步真是可悲，也難怪學生對老師越來越不尊重。

從產品的不良看到背包製作人的不用心，再追溯到做老師的人本身對教學的不用心，我們可以看到整個社會水準往下滑的原因。芬蘭的教育部長說，全球的精密工業願意來芬蘭投資設廠是因為他們敬業，敬業使他們的產品無瑕疵，品質的保證使他們零失業率。

教育是立國之本，沒有好的老師，哪有好的學生？當我們的老師對教育有搪塞了事的心態時，教育部不可不警惕了。（《人間福報》二〇〇八年七月二十八日）

3 教育投資越早越好

史丹佛大學醫學院的講座教授，也是美國國家科學院院士紐森（Eric Knudsen），最近和諾貝爾經濟獎的得主海克曼（James Heckman）等四人，一起在《美國國家科學院期刊》（*PNAS*）上發表了一篇論文〈從經濟、神經生物和行為的角度看美國未來的勞動力〉。這篇文章一刊出立刻引起立法者的注意，因為早期經驗直接影響成年後的學習和行為，孩子要受到教育的好處，他們的大腦必須能學習。

文中有一張圖表，橫軸是學前階段、學校階段、學校後階段，三個人生的階段，縱軸為投資報酬率，它的曲線很陡，從出生後便急劇下降，投資在學前的報酬率最高，小學三年級左右便到了損益平衡點（break-even point），再往下就是負回收，即政府教育投資在幼年期的獲益遠大於生命的任何階段。他們發現早期的經驗塑造成年後學習的能力，當非技術性的產業大量外移時，美國需要教育程度良好的人力來保持經濟優勢。也就是說，要國力強大，納稅人的錢就必須用在教育上，而且越早越好。

紐森從貓頭鷹的實驗中發現，早期的經驗會改變大腦中神經的連接，這個連接一旦形成便不改變，會影響成年貓頭鷹學習新東西的能力。這種神經及大腦結構上的改變，在老鼠及猴子身上也有看到。小猴子一出生若是不能與牠母親形成強壯的親子聯結（bond），長大後會孤僻、不喜歡與同類交往，比較不會去探索新環境，也比較容易有焦慮症。

父母是吸毒、酗酒、有憂鬱症或其他精神疾病的受虐兒（包括被父母忽略、沒人照顧的被動受虐），長期被寄養家庭拋來拋去，沒有固定成長環境的孩子，以及在惡質托兒所長大的孩子，他們大腦的發展與學習能力明顯低於在快樂、穩定、正常家庭中長大的孩子。他們在學校中功課落後，長大後工作比較不穩定，一旦不幸中輟，很容易犯罪。

紐森說對孩子而言，最重要的不是昂貴的新玩具，而是父母的關愛及安全感。所以，他們呼籲公共政策應該幫助孩子在他們生命的最初期得到良好的經驗，納稅人的錢要用到對的地方。紐森說：越早把錢花在處於劣勢的人身上，越能得到成本效益（cost-effect），若等到他們入學或是就業後再投資未來的生產力就來不及了，這成本效益幾乎不能跟童年期的相比。

看到這篇報告，想到我們的政府正在大力關閉偏遠地區的小學，很是感嘆。現在省下來的人事費用以後十倍花出去還不止，而且將來這些地區的小孩，因為沒能享受正規教育所造成的生命落差及精神損失，又豈是金錢所能彌補的？那些糾正教育部要關掉小學的監察委員，怎麼不想想國家未來的生產力呢？沒有了經濟，我們拿什麼與別人拚？意識形態嗎？（《天下》雜誌第三五四期，二〇〇六年八月三十日）

4 只要武器不要教育？

每次聽到大官在台上信誓旦旦地說「窮不能窮教育，苦不能苦孩子」時，我都很奇怪為什麼我看到的都不是這個樣子？

最近去中央山脈環山部落的一所小學演講，因為中橫不通，無法從台中上去，必須繞道宜蘭再坐兩個半小時車子上山，山路崎嶇，同車人不住嘔吐，到學校一看，校舍老舊，四十年不曾翻修，最糟的是封山後，山上的孩子無法去附近的和平國中念書，必須下山去宜蘭念，因為單程兩個半小時的車程無法當天來回，只好住校。宜蘭公立國中沒有宿舍，只有私立的才有，家長說私立的學費昂貴，政府補助一萬元哪裡夠？光是國光號單程車票就三百元，孩子週末回家一個月要三千元的車資，對家裡是沉重負擔，但是孩子每天想家哭泣時，你能叫他週末不回家嗎？一個家長說：「我偷、我搶也要籌到車資讓孩子回家。」聽了讓人心酸。

青春期時，荷爾蒙大量分泌，情緒不穩，最是需要大人在旁指引，十二、三歲孤伶伶一個人下山去讀書，家長怎麼會不擔心呢？政府既然要封山，就要有配套措施，要顧到孩子的受教權。一個家長說：我一樣付健保，但是山上沒有醫院，我一樣繳稅，但是我的孩子沒有學校讀。同是國民，不同待遇，令人感嘆。

政府最近在大量關閉人數少於一百的小學，理由是沒有錢，但是跟軍購相比，教育的經費真是九牛一毛。一六九一年古北口總兵蔡元向康熙上疏說長城傾塌甚多，請修築。康熙諭說：「秦自築長城以來，漢、唐、宋亦常修理，其時豈無邊患？明末我太祖統大兵長驅直入，諸路瓦解，皆莫能當。可見守國之道，惟在修德安民，民心悅則邦本得，而邊境自固。」這段話說得極好，民心悅則邦本得，民心不悅時，再厚的城牆也沒有用。明太祖修的南京城牆修到上面可以跑馬，南京應該是固若金湯了，但是他沒有料到有人會從裡面開城門讓太平天國大軍進來。買兵器不能保國家的安全，修德政、安民心，使近悅遠來則可以。教育是國家的根本，人民納稅的錢不用在國本上，難道忘記了再精良的武器也是要人操作嗎？

下山時，車子過了武陵農場就起霧，在大霧中閃著緊示燈慢慢而行，心中想的是每週在這條路上奔波回家的學子，家再遠也是想回去，為什麼我們不能給他們比較平坦一點的路呢？（《天下》雜誌第三六二期，二〇〇六年十二月二十日）

5 用基因篩選第二個王建民？

媒體報導，台北體育學院的研究團隊在蒐集優秀選手的唾液以比對出運動天才的基因，他們很得意的說，只要採驗二十CC的口水，便可預知這個小朋友以後會不會成為王建民第二，他們正在建立優良基因庫，要用基因來選拔體育人才。這個消息非常令人震驚，因為科學上已經知道基因決定論是錯的，不是有這個基因就一定有這個行為出現。人是基因和環境交互作用的產物，有王建民的基因不一定有王建民的成就，他還需要耐力和毅力才能出人頭地。

大自然透過基因來表現，先天又透過後天來運作，基因不會使你比較聰明，它只能使你比較喜歡學習某些東西，學得比較輕鬆而已。各國都有「一分天才，九分努力」「台上一分鐘，台下十年功」的成語，為什麼國人仍然這麼迷信基因，而忽略成功背後的練習與辛苦？畢卡索是上個世紀最偉大的畫家，他的一筆畫畫得又快又傳神，人人都以為他是天才，但是去到他的畫室會看到一個簡單的牛頭底下是千百次的練習。在真實生活中，同卵雙胞胎一個很有成就，另一個默默以終的例子比比皆是，我們不可以迷信基因萬能。

在自然界中，除了極少數疾病之外，很少行為是單一基因的結果，越是高認知功能的行為，牽涉到的基因越多。許多人都認為說話是人類的本能，即便是基因的關係，人會說話還是需要後天環境來啟動他大腦中先天設定的機制。美國的Genie就是一例，她生下來後被有精神分裂症的父親關在小房間內單獨長到十三歲，沒有接觸到語言，被救出來後，語言發展始終不能正常。

台灣要有第二個王建民，政府必須全面提昇體育的風氣。以目前台灣教育不注重體育，沒人沒錢的窘況，光是基因篩選是無效的，偏遠地區的學童要下山去比賽，不但車資無著落，連球衣都是借來的，台東紅葉隊用石頭竹竿練少棒的事大家已經忘了嗎？

人類學家鮑亞士（Franz Boas）說得好，「文化使人超越他的本性。（Culture is what set people free from his nature.）」要有第二個王建民，必須先有體育的文化而不是明星的心態，用基因方式篩選運動員萬萬不可取！（《天下》雜誌第三七〇期，二〇〇七年四月二十五日）

6 古文不可不讀

吃午飯時，一位同事說他早上請助理打字，助理把「橘逾淮為枳」打成「橘逾淮為權」，因為枳與簡寫的權有點像，他很驚訝的問助理：「難道你沒有聽過這句成語？」助理不好意思地搖搖頭，「好像現在學校越來越不重視經典古文了。」他很憂心的說。座上老師每個人都有這種經驗，七嘴八舌，笑完了，大家突然安靜下來——警覺到一個不重視自己文字和文化根源的國家是要滅亡的。

其實中文是非常有趣的文字，如霍去病院，姜子牙醫，呂洞賓館，又如品字三個口，寧添一斗，不添一口，晶字三個日，常將有日思無日，都是非常美妙的運用字的組合。記得有一次我帶學生去山地服務，下山時學生都很餓，坐在第一排的男生大叫，「老師，前面有割包」，大家一聽，立刻流口水，我說：「好、好、好，老師請吃割包。」我們滿懷希望衝到店門口，一看，不是餐廳，是一間很舊的西藥房，牆壁上寫的是「割包——」下面的字被樹擋掉了。就這一字之差，我們一路餓到平地才吃到飯。

過去中國人有「一經傳家」之說，王鼎鈞說，在現代家庭這「一經」恐怕變成牛「津」字典了，令人心酸。他說文字最大用處是增加青年人的厚度，使他們老了以後靈魂有自己的故鄉。關於前者，南懷瑾老師曾舉過一個例子：有一次歐陽修與兩個年輕的翰林看到一匹馬狂奔，踩死路上一隻狗，歐陽修便叫他們描述一下剛才發生的事，一個說「有犬臥於通衢，逸馬蹄而殺之」，另一個說，「馬逸於街衢，臥犬遭之而斃」，歐陽修的功力當然比他們好，他說「逸馬殺犬於道」，這六個字就把整個過程交代清楚了。寫文章要精簡其實必須有古文根基。

對於後者，我自己現在已有這個感覺。我發現最近去搭高鐵時，帶的都是《古文觀止》，在很嘈雜的環境下，這是惟一能看得下的書。也許是人生閱歷多了，看古書常有心有戚戚焉的感覺，例如鄭板橋之〈歷覽三首〉：「歷覽名臣與佞臣，讀書同慕古賢人，烏紗略戴心情變，黃閣旋登面目新。」現在的官不正是這樣嗎？換了位子就換了腦袋，過去極力反對的，現在搖身一變，歌功頌德起來了。

我父親常感嘆「好人不長命，禍害一千年」，有一天看到杜甫說「自古聖賢皆薄命，姦雄惡少皆封侯」。如果古人也是這樣，你還氣什麼呢？反而是在看《左傳》「燭之武退秦師」與《戰國策》「魯仲連義不帝秦」，及「唐雎不辱使命」時，覺得現代的外交官一定要讀古文。燭之武和魯仲連真是一流的口才、一流的膽識，尤其是唐雎為安陵君劫秦王，敢跟不可一世的秦王說「伏屍二人，流血五步，天下縞素」，敢挺劍而起，嚇得秦王長跪而謝，說韓魏都滅亡了而安陵以五十里而存在，就是有唐雎這種為國不怕死的人。

讀古文不只是修練文字還兼顧民族大義，豈可廢棄！（《天下》雜誌第三七四期，二〇〇七年六月二十日）

7 八首英文歌、八個英文笑話

為了提昇台灣學生的英文程度，教育部公布了「提昇技職院校學生通識教育及語文應用能力改善計畫」，要求學生學會八首英文歌、講八個笑話當做畢業門檻。辦法一出，各界譁然，因此馬上又改口說這只是「建議」而已，不必當真。

這件事政府最大的錯誤，是沒有全盤考慮清楚就發佈命令，一看苗頭不對，又馬上見風轉舵、否認自己白紙黑字寫的字，硬說公文中用的「門檻」這個詞是用語「不精確」。這種沒有承擔的作風是最要不得的。公文的字不能隨便更改，所謂「一字出公門，九牛拉不回」，「生」「死」也不過一字之差而已，實際上的差別多大！豈可用「用語不精確」來搪塞，逃避責任？現在從上到下，硬掰已成風氣，實在要不得。

孔子說「民無信不立」，連老百姓都不可以不講信用，政府豈可朝夕令改，難道不曉得沒有威信後，令不行嗎？因為現在政府沒有信用，所以老百姓都不把政府的話當一回事，政令下來，大家都按兵不動，等等看，說不定過幾天就會有變。這種心態會失去競爭力的先機，對國家不利。一個專司全國教育的最高單位怎麼可以出爾反爾？

至於改善英文的具體內容，更是令人不敢恭維。要學好一種語言絕對不是像幼稚園一樣唱唱跳跳，碰到外國人時，張嘴唱 Jingle Bell 就算溝通了，更何況要英文不好的學生講英文笑話，真有點何不食肉糜之感。笑話要好笑，要有文化背景，如果我們的學生連自己的文化都搞不清楚，怎麼有餘力去弄清楚英國、美國的文化，再來講英文笑話呢？

笑話要講得好不是那麼容易，punch line 的時間要掌握得恰恰好。有人問美國最有名的喜劇明星鮑伯・霍伯（Bob Hope）講笑話的要訣是什麼？他說：「無他，時間性（timing）而已。」在什麼場合講什麼笑話，講到什麼時候要停頓下來，等聽眾期待之心到達最高點後，再講出跟他們預期完全不同的答案，讓聽眾在楞一下之後，哄堂大笑，這個笑話就成功了。連主持美國國家廣播公司（NBC）夜間節目三十年的強尼・卡森（Johnny Carlson）都認為，他節目最困難的部分是一開場的「單口秀」。今天教育部要求學生講八個英文笑話實在是強人所難，講得不好的笑話會讓人起雞皮疙瘩。教育部太不了解語言的學習了，真是連做出這個「建議」都不應該。

學英文沒有捷徑，只有下苦功，很多技職學校學生在國中啟蒙時就沒有好老師教字母發音及拼字關係，有一個學生告訴我，教他英文的是體育老師，本身也不會英文，三年下來只會兩句「Yes, I do.」和「No, I don't.」。今天要改善英文程度只有從根本做起，請教育部把錢用在刀口上，將改中正紀念堂、中正機場名字的冤枉錢拿來聘請有能力的流浪老師去偏遠學校課輔，教這些國中生基本的拼音法則。如果連廿六個字母都念不全，唱了幾首歌、背了幾個笑話又有什麼用呢？（《天下》雜誌第三八〇期，二〇〇七年九月十二日）

8 讓孩子沒飯吃，國恥也！

我去基隆一所高中演講，一位老師紅著眼眶對我說，班上有位女生，一到午餐時間便藉故上廁所不回來，因為最近發生女生在廁所上吊事件，老師不放心，便去廁所看，才發現這個女生坐在樹下拭淚。原來父親失業，無力負擔午餐，女生愛面子，所以吃飯時間躲出教室。

我聽了很驚訝，從小學念地理便知道基隆、高雄是台灣的兩大貨物吞吐港，一九九二年我搬家回台灣時，貨櫃到了基隆港，但是貨卸不下來，因為等待卸貨的輪船太多了，要排隊。曾幾何時，基隆港沒落了，輪船不來了，碼頭工人失業了，連孩子的午餐費也付不出來。我問了一下這情況有多嚴重，輔導主任說，連這個孩子一共二十七位。

我想起台東山地小學的一位校長說，今年學生人數增加，他學校目前沒有被關閉的危險。我恭喜他逃過一劫，他卻苦笑說，學生人數生增加不是好事，表示山下找不到工作，父母帶著孩子又回到老家來；如果山下有工作，孩子會轉學出去。所以他寧可學生流失，每天戰戰兢兢，不知政府何時要關掉他的學校。望著這位原住民校長黝黑的臉，我了解他兩難的痛苦，但是心中很疑惑，我們真是窮到讓孩子沒飯吃、沒書讀的地步了嗎？

政府處處喊窮，關掉偏遠地地區的小學，終止東區職訓中心中輟生的技職補助，卻有幾千萬的經費做無謂的意識形態宣傳。那些在競選時，聲嘶力竭高喊「窮不能窮教育，苦不能苦孩子」的政客怎麼不上山下鄉去走一走呢？如果國家真是窮，像我們小時候的台灣，大家吃不飽飯，那也沒有問題，共體時艱，一起苦過來。但是現在政府並不是沒有錢，只是沒有用到對的地方而已，光是改中正機場、中正紀念堂的名字就不知道花了多少錢。其實，只要拋開意識形態的糾纏，叫什麼名字有什麼關係呢？值得犧牲孩子的教育費、午餐費去改嗎？莎士比亞不是說，玫瑰換成別的名字還是一樣的香嗎？但是今天沒有飯吃的孩子，明天是長不大的。

清末名臣彭玉麟原是曾國藩手下的大將，主管長江水師，同治三年洪楊之亂時，他與曾國荃一起攻克鍾山，解江陵之危。皇帝封他太子少保，他上疏請辭，說：「嘗聞士大夫出處進退，關係風俗之盛衰。臣之從戎，志滅賊也，賊已滅而不歸，近於貪位；長江既設提鎮，責有攸司，臣猶在軍，近於戀權；夫天下之亂，不在盜賊之未平，而在士大夫之進無禮，退無義……中興大業，正應扶樹名教，整肅綱紀，以振奮人心。」

有權而不貪位、不戀權，這種人現在到哪裡去找？天下之亂的確不在盜賊之未平而在士大夫之進無禮，退無義。明朝顧炎武說「士大夫之無恥是為國恥」，看到中正紀念堂前教育部官員的出口成髒，既失態又無禮，卻不見教育理想的作為，夫復何言，國恥也！（《天下》雜誌第三八八期，二〇〇八年一月二日）

9 我們少做了什麼、少教了什麼？

一位朋友傳簡訊給我，上面只有一排問號，令我納悶。原來他的學生自殺了，他趕去醫院，問他為什麼，學生聳聳肩說「不為什麼」，令他氣結。他寫道：「我們做錯了什麼？」「我們少做了什麼？」

美國國家廣播公司新聞主播湯姆・布洛考（Tom Brokaw）在二次世界大戰諾曼地登陸五十週年時，訪問了當年搶灘的美國大兵，這些人現在已垂垂老矣，但是布洛考說越認識這些老兵，越堅信這是人類歷史上「最偉大的世代」。搶灘時，灘頭布滿地雷，工兵先行以去除地雷，一個工兵不幸雙腿炸斷，人已倒在地上了，還不忘用手指示從哪裡走最安全。的確，從同袍的身上跨過最安全，因為那枚地雷已被引爆了。軍醫馬德蒙醫生回憶說他們去解放戰俘營時，每個柵欄都囚禁著奄奄一息的人，但是這些人仍然掙扎著站起來向他們敬禮。

戰爭結束後，政府通過退伍軍人法案，讓解甲歸田的美國士兵能免費進入大學就讀，一九八八年諾貝爾物理獎的得主雷德曼（Leon Lederman）就是靠這個法案去唸研究所的。這是美國社會對退伍軍人最昂貴也最有價值的投資，它培育了許多人才，對美國日後的發展有決定性的影響。的確，那一代的年輕人有生命的熱忱和遵守紀律的習性，誠實、負責任是那個時代的共同人格特質，也是社會文化認同的價值。

每個世代都有異議分子，但是大家對道德的認同卻是一致，每個人都必須為自己的行為負責，誠實更是不可逾越的道德規範，每個人也都知道自己對社會國家的責任。這些就是現在我們社會所缺的了。我們的官員可以臉不紅、氣不喘的說鏈震是民間團體，「我憑什麼把它關掉」。一個部長的辭職，暴露了執政黨在下台前把國家最後一點血吸乾的內幕；有母親年夜飯都沒得吃，為十二萬罰金繳不出，除夕夜被抓去關，讓她年幼的孩子賣糕救母；有人幾千萬元的案子可以幾年不應訊，躲在家裡「生病」卻被人看到逛大街、吃大餐。這種種的不平、不法是壓垮年輕的心的稻草。我們能怪孩子對這個社會沒有信心嗎？這種不公不義的日子能叫他們過下去嗎？

我們的確少做了什麼，我們少教了孩子像我們父母那一代的誠實、勤儉、奮鬥，布洛考口中那個最偉大的世代的確已經一去不返了。戰爭是殘酷的，但是在烽火中，我們看到當時年輕人的勇氣、紀律、責任感與同胞愛，這使得他們對未來有信心，即使被俘虜也堅強活下去。安逸使人墮落，腐敗的政治與貪婪的社會使孩子對未來失去信心，不願再看到太陽升起。我們需要重建過去的道德典範，讓孩子看到生命的目的。（《天下》雜誌第三九二期，二〇〇八年三月十二日）

10 小學是教育的扎根工程

有人認為美國能在二十世紀成為世界的首富，最大的功臣是教育：一八九〇年時，美國人平均受八年的教育，一九〇〇年就升到八・八年；一九一〇年時是九・六年，一九五〇年時，全歐洲只有不到百分之三十的人口唸完高中，而美國是百分之七十；到一九六〇年時是十四年，而且百分之八十的人高中畢業。教育的提升帶動科技的進步，那時美國在工業科技上領先全世界三十五年，因此美國的生產力和經濟成長是全球之冠，美國人生活的富足被其他國家之人民認為是天堂。

我一九七六年去倫敦和巴黎開會時，很驚訝發現兩大名城廁所居然沒有衛生紙，而且要繳費才能如廁；市場的貨物也不像美國那樣滿坑滿谷，好像要溢出來似的。曾幾何時，情況轉變了，美國自一九七五後教育沒有進步，經濟就明顯下滑，最後竟然被芬蘭、冰島、愛爾蘭等小國趕上了。

芝加哥大學經濟學教授海克曼說，當教育程度超越科技時，貧富的比例變小，因為市場上到處都是有技術的工人，薪水的差異不會很大；但是當教育的進步落後科技時，貧富就懸殊了，因為只有少數有技術的人可以拿到高薪，而無技術的人沒有討價還價的本錢，只有任人宰割，薪水差距就拉大了。

教育直接關係著國家競爭力與社會的貧富差距，難怪華盛頓大學醫學院的教授麥迪納（John Medina）會跳出來痛批美國的教育沒有因材施教，制度僵化，忽略孩子大腦區塊成熟的次序和時間有不同，造成人力浪費、經濟衰退、國力下降。他在《大腦當家》（*Brain Rules*，中譯本遠流出版）一書中強調教育最重要在小學，因為它是扎根的工程。我看了很有同感，現在人好高騖遠，都不肯下苦工打根基，沒有根的樹如何開花結果？

最近很多人在檢討零分上大學，其實會考零分跟這孩子過去的基礎教育有關。現在台灣廣設研究所，什麼奇怪名稱的研究所都有，造成博士滿街跑，但是我們的體育博士不能上場比賽，戲劇博士不會上台演戲，因為他們沒有練基本功。最近聽說連培養國劇人才的傳統戲劇學校都不要求學生練早功了，理由是宿舍不夠，不能要求走讀生六點到校練功。這真是因噎廢食，如果要吃梨園飯，就得練基本功。宿舍是技術問題，可以克服，但是「本」不可因「末」而放棄。

台灣常有這種事：戶外教學翻了車，以後就不准戶外教學；怕老師改作文不公平，就廢考作文，忘記了做這件事的目的是什麼。如果目的是重要的，那麼，主事者應該想辦法克服技術上的問題。要做就找得出方法，現在不是又恢復考作文了嗎？但是國文程度的下降可能要好幾年才補得回來。

要樹成材，扎根必須切實。看到現在大學生的高失業率，政府或許應該回頭看看，把錢用到小學上，好好的把教育的根扎穩。（《天下》雜誌第四〇三期，二〇〇八年八月十三日）

11 考試靠自己，別再鑽轎底

從最近報紙的新聞看起來，台灣是科學越進步，人民越迷信。前幾天報載虎尾一所中學，全校師生排隊跪在操場迎接媽祖的駕，還有學生鑽轎底，高喊媽祖萬歲，這種事由學校帶頭做，令人有不知今夕是何夕之感，我們竟是用迷信在教育下一代，教育部怎麼不出來講話呢？我們的總統候選人表現得比一般老百姓更迷信，為了改運，請法師誦經，全體競選幹部長跪頂禮，以求逆中求勝。我們的總統為了推動入聯，更請八家將出來開路，以求入聯順利。

這種不問蒼生問鬼神的新聞幾乎每天都有，這是很可怕的事，因為上行下效，難怪台灣的廟宇一間比一間大，香火鼎盛，甚至有不踩風火輪而拿手榴彈和槍的三太子，說是神明托夢要拿手榴彈，凡事一說到是神明的意思，就沒有人敢反對。這對台灣的社會非常不利，在位者可以挾神明以愚百姓，為所欲為。教育本來是要破除傳統的愚昧和無知，怎麼可以由上位者帶頭崇尚迷信呢？

人會迷信，因為人對未來惶恐，又對不能解釋的現象害怕，為了安撫自己的心，便用最熟悉的東西去解釋不知其所以然的現象——所以打雷便說天神生氣，地震便猜是地牛翻身。人對不熟悉的環境都會恐懼，所以人會安土重遷，喜歡在熟悉到幾乎不必用大腦的環境中生活，因為這樣子用最少的大腦資源就可以過一天。加上動物都有歸因的本能，老鼠對新奇的東西只敢啃一小口，若是吃了以後。身體不舒服，牠會立刻歸因到剛剛吃的食物上，從此不敢再吃這種食物。

人是萬物之靈，當然更有歸因的能力，過去民智未開，不知道事情背後的道理，又因為我們的左腦前額葉對不合理的東西會耿耿於懷，一直在心中反覆思索，不斷去搜索各種可能的解釋，直到可以完整解釋出這個現象為止（這是台語「看到一個影，生出一個子」的原因，大腦為了要將事情合理化，將故事加了頭、添了尾，一個孩子就生出來了）。當實在無法解釋時，老百姓就會把它歸諸神力，「戲若做無路，就用神仙渡」，一切不合理的事，歸因到神明的意思，是命中注定、在劫難逃、前世欠債，人就可以接受不公平的事實了。我們因此看到孩子身體不好，父母不去檢討是否補藥吃太多，反而說命中帶煞，要去廟裡許願誦經化解；事業不順，不檢討自己做人做事的方法有無缺失，先去找算命的看是否衝撞到神明。

最近幾年來，我們的知識分子太沉默了，容許執政者胡作非為之後，再去求神明保佑，總統出巡必去各廟宇參拜，讓孩子有樣學樣，凡事不求諸己，而去求神明。今天台灣變成迷信之島，你我都有責任，衣索比亞前皇帝海爾・塞拉西（Haile Selassie）說：「在人類歷史上，有能力行動卻袖手旁觀，知情者卻三緘其口，正義之聲在最迫切、最需要時保持沉默，邪惡是因為人的不作為，方能伺機橫行。」我們不能再做無聲的大眾（silent majority），必須挺身而出，告訴孩子，自助、人助、天助，造命者天，立命者我。考試靠自己，不必鑽轎底。凡事有科學的解釋，當人類都上了月球時，我們怎麼還可以用迷信去教育下一代？（《遠見》雜誌二〇〇八年四月號）

12 沒有衛生紙的廁所

最近連續去兩所國立大學演講，演講場地都是國際會議廳，但是會議廳的廁所都沒有衛生紙，令我很驚訝。因為這是國立大學，不是偏遠地區小學，廁所有衛生紙已經是國際禮儀的一部分了，而且大學是最高學府，培養菁英的地方，應該處處要符合國際水準才對。

當我跟別人提起這件事時，每個人都有跑進去、因為無紙又跑出來的經驗。最窘的一次是台灣師資培育最高的學府辦國際研討會，請了一位美國著名的教育心理學家來演講，這位教授在裝好隨身碟後，向我表示她想上洗手間，我急忙問旁邊的工作人員，廁所乾不乾淨？我曾在一九八六年跟著美國教育考察團去西安參觀，被外國人笑說：「找中國的廁所只要相信你的鼻子，循著臭味去就對了。」這個恥辱還沒有忘掉，所以我很擔心。

那位學生很自豪的說：「我們國際會議廳的廁所很漂亮，是全校最好的廁所，連地板都是鋪大理石的。」我就很放心的帶這位教授去了。一看果然寬敞乾淨，沒有異味。

想不到十秒不到，她就急忙出來跟我說，裡面沒有衛生紙，連試了三間都沒有，只好出來問，她很驚訝廁所居然沒有衛生紙。我則發窘，因為我身上也沒有衛生紙，只好帶她走回去，向坐在門口負責簽到的同學借。我馬上從皮包中拿錢請工讀生去買衛生紙供那天研討會用。紙買回來了，才發現廁所內根本沒有裝衛生紙的設施，只好把衛生紙放在水箱上。

我不了解，「國際會議廳」的目的是讓各國的人來參加研討會，它應該是學校的門面，而且連地板都鋪了大理石，為什麼要省小錢，廁所不裝放衛生紙的設備，使人即使想自掏腰包買衛生紙也沒有安裝的地方呢？這應該不是經費的問題，而是心態的問題，是我們的經濟已經起飛了，而我們的文化水準還停留在貧窮時代，是「心」趕不上「物」。

這個現象並不是這兩所國立大學獨有的，它是台灣普遍的現象。有一位偏遠地區的小學校長說他剛上任時，看到廁所的垃圾筒中有樹葉、撕碎的報紙，他覺得很奇怪，一問之下，才知道這些窮孩子沒有衛生紙，要上廁所時就用樹葉或任何可以找得到的東西替代。他很難過，想用公費提供小朋友上廁所的衛生紙，但小學經費少得可憐，心有餘而力不足，只好看著孩子到處找葉片。

我去問了管總務的朋友，給的理由是別人會把衛生紙拿回家用，學校不能提供天下人衛生紙。我聽了很驚訝，這不是因噎廢食嗎？每件事都有好面和壞面，到處也都有害群之馬，但是不能因為防弊而不去做應該做的事，比如說，曾經有過孩子盪秋千跌下來受傷，所以某校就把秋千架拆掉；學生戶外教學出了車禍，所以就停辦戶外教學。為了防弊，剝奪學生學習和玩耍的機會，這真是忘記原來的目的是什麼，倒洗澡水把盆裡的嬰兒也扔出去了。

教育是教導出一個有知識、有禮貌、懂得國際禮儀、上得了檯面的學生，衛生紙並不貴，在民國五十年代物力艱難時，我可以了解政府沒有錢，一切要「克難」，但是在二十一世紀的今天，政府可以花幾千萬去「正名」，改機場、改學校、改紀念堂的名字，難道不能花點錢讓學生體會一下做文明人基本的如廁禮儀嗎？現在機場、地鐵、高鐵都提供衛生紙了，好像也不見得有民眾大包小包的把衛生紙拿回家；反而是政府的五鬼搬運法，把公家的機構「民營化」後，錢搬得乾乾淨淨。

廁所有衛生紙是個文明的指標，政府肯花大把銀子在海外打廣告，宣揚台灣的觀光，怎麼會連國際會議廳廁所這點門面都不做呢？

一個人是否有教養不是看他是否穿名牌，而是看他飯後是否公然剔牙，是否隨地吐痰。今天要想擠入全球一百的名校，請從細節做起，尊重我們的學生，不要把學生當賊看，請相信考得進貴校的學生不會偷公家的衛生紙！如果他會，那不更是辦教育者的責任嗎？（《金門日報》二〇〇八年三月）

13 五千元換一個機會

最近去參加一場藝術教育的座談會，發現文建會所提的五千元藝文免稅額被財政部否決了，我聽了很難過，沒想到大官們仍然看不到藝術文化對人民品德氣質培養的重要性。每家給五千元讓父母帶孩子去看戲、聽音樂會、買書、看國產片，認識自己的文化，聽起來好像很多錢，但是比起救股市的二十六億，又算得了什麼呢？股市是暫時的，氣質、品味是永久的。一個人會認同某個團體，主要是因為這個團體的文化，而藝術人文正是文化的靈魂，我們怎麼會因小而失大呢？

政府常忽略人文藝術，因為它不是立竿見影的事，但是它其實是人成為人最重要的一部分。音樂是最原始的語言，繪畫是最原始的表達方式，許多民族都喜歡用歌聲、琴聲來表達心意。一個朋友的女兒曾在歐洲參加鋼琴比賽，她彈完後原本以為一定會得名，因為很難的曲子她一個音都沒有彈錯，想不到竟然落榜了。裁判很溫和的問她讀過什麼書，她一概搖頭，心想：彈鋼琴跟看這些小說有什麼關係呢？

裁判對她說：如果只是技巧，現在電腦也會彈鋼琴，一首曲子會感人不是只有技巧，還包括演奏者對這首曲子的體會與感受。他要她做「師」而不要做「匠」。

音樂和戲劇是自古以來撫慰人民心靈的良藥，我大舅曾被中共送到黑龍江勞改，二十二年完全沒有音訊，我們連他在黑龍江的哪裡都不知道，以為他一定死了。只有我小舅沒有放棄，他在美國著名大學的電機系做系主任，一九七二年乒乓外交，鐵幕的門一打開，他立刻回大陸去找我大舅，趁與周恩來握手時，把條子塞給周恩來，懇求尋找。他人才回到美國，大舅便找到了，不久，他便來到美國。

我們去看大舅時，非常驚訝他的臉很祥和，沒有愁苦的表情。他說：人在逆境特別要保持心情的穩定，他以前琴棋書畫樣樣精通，所以每天出工去墾荒時，在心中默唱《四郎探母》的「我好比籠中鳥有翅難飛，我好比虎落平陽……」，冰天雪地時，便把江南的美景在腦中想一想，最主要是他常把王守仁的〈瘞旅文〉在腦海中背一背，安慰自己還沒有太差。他說精神永遠強過肉體，他靠著腦海中這些中共搶不走的東西，度過了北大荒難挨的歲月。

我們的孩子欠缺的就是這個珍貴的藝術人文素養。有接觸才會喜歡，五千元給他們一個機會，打開他們的視野。五千元換孩子對藝術文化的認同，能算貴嗎？（《人間福報》二〇〇八年十月六日）

14 「情」的教育是所有教育的根本

我第一次聽到「郎中不自醫」這句話時，覺得很奇怪，不是有醫生在非洲得了盲腸炎，沒有醫院可送，他自己就是該區惟一的醫生，無可奈何，對著鏡子替自己開刀，切除盲腸，救了自己的生命嗎？為何說郎中不自醫呢？後來又看到醫生不為自己的近親看病開刀，才知道人不是理性的動物，牽涉到「情」時，判斷會不準，手會抖。

兩千年前，亞里斯多德就說人是被理智和感情的雙頭馬車拉著往前跑，雙方較力，誰贏人就傾向誰，但後來的研究發現並非如此，人是被感情的單頭馬車拉著跑的。前額葉腹側某處受傷後，病人會失去感受感情的能力，對再美好的事情都無動於衷，有個病人想買一部新車，他把本田、豐田車子的優劣點都一條條列出來，但是因為他大腦受了傷，無法感受到感情，沒有感情，就沒有喜好，沒有喜好就作不出選擇，最後只好丟銅板決定買哪一部車。因此我們知道人基本上是個感情的動物，沒有感情空有理智是沒有用的，所以英諺有一句：「Small things listen to your head, big things listen to your heart.」小事可以隨便和人計較，大的事情要聽從你的心，以免後來悔恨。布朗寧（Robert Browning）也說：「我的心在哪裡，讓我的腦也在那裡。」（Where my heart lies, let my brain lie also.）情（feeling）既然這麼重要，它應該是我們教育的重點，尤其是醫生的養成教育，但是目前台灣整個教育最令人垢病的就是太不重視美育，可以說完全沒有情操的培養。

朱光潛在民國十八年就說：「離開情感，音樂只是空氣的振動，圖畫只是塗著顏色的紙，文學只是串起來的文字，結婚只是為了生殖。」八十年後，我們的教育還是缺乏美育，這使得我們的國民一切從功利著眼，什麼事都要用算盤撥一下，看看對自己有什麼好處。過去古人是「為朋友兩肋插刀」，現在我們是「為利，朋友兩肋插刀」。缺少了情，這個社會就少了那麼一點人味。

夏丏尊說中國人是全世界最重實用的民族，凡事講求實際，娶妻是為了生子，養兒是為了防老，行善是為了福報，讀書是為了做官，做官是為了撈錢。既然人生在世只是為了穿衣吃飯，就什麼都用吃來衡量了，所以中國人把老師叫做「吃粉筆灰的」，把當兵的叫「吃糧的」，把小白臉叫「吃軟飯的」，當什麼都只為一張嘴時，人生就淺薄了，也難怪年輕人看不到生命的意義。

膚淺是我對目前教育，尤其是醫學教育最大的憂心。一位教授說：現在的老師充其量做到「授業」而已，學生根本不要「解惑」，他們要的是文憑，有了文憑，薪水高一些，升官快一點。至於「傳道」那就更不用說了，在速食的社會，誰要聽你講做人的道理呢？根據《遠見》雜誌的一次調查，台灣有四百五十萬人不讀書，不讀書就不能打開自己的眼界，提升自己的情操。朱熹說「問渠那得清如許？為有源頭活水來」，這個「活水」就是不斷的讀書、不斷的進修，使自己不會像發臭的一灘死水。

在醫學教育上，我們該怎麼做好讓醫生有活水源源不斷進來？這不但是醫術上的精進，還包括醫德上的提升。從大腦的研究中知道學習是一定要主動才有用，必須找出一個方式讓學生知道自己有不足，他才會想充實自己。或許我們可以要求學生到偏遠沒有醫生的地方校外服務，讓他們從實做中知道自己的不足，在沒有看診及薪水的壓力之前，讓他們與村民互動，學習人生的經驗。

最主要是我們要透過書報討論引發學生的良知。例如麥克・克萊頓（Michael Crichton）的小說《死亡手術室》（*A Case of Need*，中譯本遠流出版）中提出醫生是否應該兼作道德裁判？為什麼一個健康的女孩子來到醫院要求墮胎，我們不能替她做，要等到她去黑巷找密醫弄到大出血時，我們就可以替她做了？這些醫學倫理的主題可以透過小說或實例來讓學生思考，當事情真正發生時，他會有情理法的考量，不會做出類似邱小妹人球的悲劇。

對生命的尊重是「情」的教育，它其實是所有教育的根本，我們不可再忽視它了。（《科學人》雜誌二〇〇七年十月號）

第7篇

讓孩子知道你愛他

1 搞笑是孩子內心寂寞的吶喊

朋友打電話來說，她兒子喜歡在班上耍寶，老師說是自信心不足的表現，要家長多注意。她聽了很心疼，就盡全力去增加孩子的長處，花大錢讓孩子學各種才藝、補英文，每天接接送送，弄得精疲力竭，但是兒子仍然在班上搞笑，讓老師很頭大，又在聯絡簿上要她注意。我聽了非常同情，青春期是成長過程中最痛苦的一個階段，其中最痛苦的便是「自我」的不定。很多搞笑的孩子是自覺沒有長處，只好用耍寶來引人注意，他內心其實是痛苦的。

美國的專欄作家包可華（Art Buchwald）在他回憶錄中寫道他是個孤兒，在孤兒院中長大，衣衫襤褸，沒有零用錢，念書時只能靠耍寶搞笑來使別人喜歡他，他沒有想到後來走上幽默專欄的路。美國另一位非常有名的幽默作家貝瑞（David Barry）也是在中學時，成績不好，運動也不行，想打籃球不夠高，想踢足球不夠壯，剩下的就只有耍寶，逗女同學笑了。他說他的內心其實很空虛，回家後常恨自己為什麼文不文、武不武，要靠自嘲來避免別人嘲笑。他一直到後來成為暢銷作家，上電視接受訪問時，才說：「我終於不必靠搞笑耍寶來引起別人注意了。」聽了令人心酸。包可華還是個嚴重的憂鬱症患者，嚴重到必須住院電療，難怪我父親常說「在台上笑的小丑，在台下是哭的」。我們不要被表象所矇蔽，要想辦法進入孩子的內心世界去化解他的痛苦。

其實，蹲下來，從孩子的眼光看世界，你就會了解孩子為什麼要叛逆。我們都習慣從自己的觀點去責怪別人，很少檢討自己，當孩子學不會時，我們很少想一下，是不是這個方式對他不合適，我是否應該從另一個角度切入？我們多半是把責任推到孩子身上，常聽父母罵道：「教了老半天還不會，一定是沒好好聽，拿棍子來，打了就會了。」我們都把聽不懂的責任怪到孩子頭上，不會檢討一下，背景生疏的東西是記不住的，新知識一定要和舊的連接在一起才保存得住。

我勸朋友不要讓孩子補習，給他一點時間交朋友。目前台灣課表的安排是沒有時間給孩子講知心話的。週末要她帶孩子去外面玩，順便找出他的長處。自信得靠實力，這實力並不是分數，是他的知識廣度與深度。要被人看得起，必須有被看得起的東西。搞笑看起來是件小事，但是它是孩子內心寂寞的吶喊，不可輕忽。（《人間福報》二〇〇八年一月二十一日）

2 吵架是成長的一部分

一個學生自願在過年時留守實驗室，我很驚訝女生會不想回家過年，便問她為什麼。她說過年時，在外地的兄嫂都回來，兩個嫂嫂都寵愛她們的獨子，這兩個姪兒年齡相差不到一歲，每次為了搶玩具弄得大人烏煙瘴氣，然後就叫這個未結婚的小姑出來做公正人，評斷是非，她是順了姑意，逆了嫂意，最後兩人都怪她，令她痛苦不堪，寧可留在實驗室。我聽了很是同情，其實，父母不應介入孩子的吵架，也不應當眾打孩子給別人看，因為孩子會認為受了委屈，下次他要找機會報復反而吵不完。也不要說「你是老大，讓弟弟一點！」，我就看到有個老大氣急敗壞的坐在地上大哭，說「你為什麼不把我生做老二！」，凡事公平第一，孔融讓梨是美談，我們希望孩子這樣做，但不是強迫他，要在日常生活中，花心思讓他疼愛弟弟，自願讓弟弟。

做孩子時，最難過的便是認為媽媽偏心不喜歡自己，那種感覺很強烈，反而造成兄弟的不和。其實，孩子吵架是溝通的一種，因為孩子還不會用恰當的語言表達他的意思，因此會最直接的把他心中的話講出來，語氣一不好，對方立刻反唇相譏，就吵起來了。吵架是成長過程的一部分，我們小時候都跟姐妹吵過架，吵完之後父親會叫我們反思，想有沒有更好的解決方式，他用這種方法訓練我們的人際關係；母親則是叫我們罰站思過，結果在罰站時都在思別人的過，心中不平之氣也醞釀得越高，一罰完會立刻再吵一架。所以罰孩子不是很好的方式，越罰反效果越高，要讓孩子可以在吵架的過程中學到人際關係，因為對方會把他本來隱藏在心中不說的感覺說出來，這有利於溝通，孩子以後會避免碰觸別人的痛處。我們都有這種經驗，城府很深的人不敢跟他交朋友，因為不知他心中在想什麼。

很早以前，我家還有電視時，我曾看過一個名人專訪的節目，那位名人說他與他太太從不吵架，記者問他太太：「真的嗎？」他太太說：「是的，他從來不跟我說話。」雖是開玩笑，但有幾分真意。夫妻要生活幾十年不吵架，除非是彼此不講話。父母不必把吵架看得太嚴重，反倒該利用吵架的機會教導孩子如何處理人際關係，只要「前事不忘，後事之師」，這個不愉快經驗就會帶來人格的成長，他的同理心會使他在情緒發展上更成熟。（《人間福報》二〇〇八年二月十八日）

3 你的行為孩子都看在眼裡

一個朋友告訴我，過年時，她開車要去沙鹿朋友家吃飯，在台中朝馬附近迷了路，看到公車站有一位帶著兩個孩子、拎了大包東西的太太，心想，媽媽應該是最可靠的，便停下來問路。

這位婦人立刻很熱心的告訴她「我帶妳去」，然後自己打開後座車門，帶孩子上了車，想不到繞來繞去，最後到了一處民房，婦人下了車，轉身告訴她，她要去的地方在另一個方向。她非常驚訝這婦人竟然會為達目的，不擇手段，在孩子面前說謊。

這讓我想起美國有位讀者投書說她去市場買菜，正要倒車時，有個父親帶著兩個八、九歲的男孩採購出來，走到停在她旁邊的車子，這個男孩在開車門時，太用力，打到了她的車身，凹了一個小洞。

她原以為父親會過來道歉一聲，想不到這父親倒了車子就打算離去，她只好下車理論，這位父親把車停下，搖下窗戶，來勢洶洶的說：「你要怎樣？這裡是停車場，車子被刮是每天都有的事，叫什麼叫！」她被嚇到了，只好眼睜睜看這一家父子揚長而去。

過不久，她出去辦事回家後，發現車子的保險桿被撞壞了，看看擋風玻璃上無人留條子，又不知是何時何地被人撞的，只好自認倒楣。想不到當晚一對連英語都講不好的夫婦上門來道歉了。太太的英語破到她要連聽三遍才聽懂，原來車子是他們的兒子撞的，撞後心慌便逃回家告訴父母，他們知道後立刻帶著孩子前來賠禮，並給她他們保險公司的電話號碼。

她說她很訝異，一個是美國中產階級的父親，一個是英文都不會講的油漆匠，兩個人對孩子的教養竟有這麼不同的態度，難怪美國的社會一直在走下坡。所以這位讀者很感慨的說：美國人一向看不起膚色不同的新移民，卻沒有想一下，將來美國社會的骨幹必是這些有教養、有道德觀的新移民之子。她呼籲父母以身作則，作榜樣給小孩看，因為種瓜得瓜，種豆得豆。

現在社會上很多人為了貪一時之利，在孩子面前做了不當或不法之事，使孩子對父母失去尊敬，以後不服父母管教。更糟的是，這些不當行為孩子都看在眼裡，長大後做不法的行為便認為是理所當然。

研究者已在人類大腦中發現有鏡像神經元，專司模仿。古人說「上梁不正下梁歪」，現在已經看到大腦的神經機制，孟母要三遷是有道理的。品德的培養是個潛移默化的歷程，一時的貪小利，其實卻賠上孩子的一生。（《人間福報》二〇〇八年三月三日）

4 不放棄每一個孩子

最近看了一部時報文教基金會所拍的《我們的孩子》影片，它比較台北市的民權國小與台東泰源國小學童的生活，刻畫出城鄉的差距與社會資源的不公平：一邊是教學資源豐富，有外國人教英文，父母可以在家陪著做功課，放學還有補習班加強課輔；一邊是沒有校內英文老師，一個老師要教好幾所學校的英文，有問題要等到下一次上課才能得到答案，父母多半在山下打工，孩子下課回家都要幫忙家務。

城裡孩子上博物館、科學館、美術館做課外教學。山上孩子欠缺交通費下山，很多人終其一生不曾參觀過任何一個館。當問到他們將來想做什麼時，男生說王建民，女生說張惠妹，除此之外，想不起什麼。有位父親無奈的說，誰不想陪孩子一起長大呢？但是山上沒有工作，一百個人裡，不到一個人可以找到正式工作，為了一家溫飽，只有逐工作而居，從台東到彰化做工。孩子要看到爸爸必須大費周章：母親揹著小的，牽著大的，一家五口長途顛簸，坐客運到彰化才看得到爸爸。看到孩子因要去看爸爸而興奮的雀躍不止時，真是難過不已。

人不能選擇自己的父母和出生地，但是每個孩子都有受教育的權利，國家至少應該給每一個人公平的起跑點。我曾看過一支新住民之子的廣告，「他將來是我們社會的一份子，為什麼現在不善待他？」，山上的孩子也是我們社會的一份子，我們為什麼現在不善待他？

從這部電影中，我看到城鄉交流的重要性。山上的孩子需要下山來打開他的眼界，讓他知道世界上有這麼多的行業可以選擇，只要努力，他都可以做；他需要有典範，最重要是對自己的未來有希望。每天朝著志向走，總有到達的一天。城鄉交流其實不會花很多錢，主要是交通費，若是政府看到交流的重要性，這筆預算應該編得出來。最糟的是「不三不四」學校（不是山地、不是都市），他們的資源更為貧乏，甚至連山地都不如，真是叫「爹不疼，娘不愛」，有學校幾年不曾添購過一本新書。

從這次大家殷殷期盼新的教育部長名單早早公布，可以看出老百姓對目前教育的不滿與無奈，真是可以用「如大旱之盼雲霓」來形容。我自己是大學教授，但是我很清楚，沒有好的小學教育就不會有好的大學生，「不放棄每一個孩子」不是口號，它是你我的責任！（《人間福報》二〇〇八年五月十九日）

5 教養、教養，教在養之前

《天下雜誌》在少子化的現代，創辦了一本專門討論教養孩子的方法及增進親子關係的新雜誌，可謂勇氣可嘉。但是細想起來，目前社會最需要的就是教養孩子方面的資訊，因為人才絕對是國家最大的財富，如果我們的下一代好吃懶做，是啃老族、月光族……，我們的前途在哪裡？歷史上，每一個朝代的滅亡都是源自內亂，民不聊生後，外敵才能侵入，木腐才蟲生，好好的木頭蟲也蛀不進去。所以如何教養孩子真的是最重要的一件事。

最近看到一連串父母不當教養孩子的新聞：有把女兒頭髮剃光的；有把繩子套在兒子頸上，叫他當狗爬的；有半夜把孩子趕出門，只因為他沒有考一百分的……，這都顯示這份新雜誌有其時代的必要性，不當的教養方式會造成子女心態的不平衡，表現在外的便是欺凌比他弱小的人。但是，從另一方面講，父母太寵小孩，這孩子一樣不適應社會。

我最近在中正機場看到一件事，一位跟我們同行的老教授奮力在旋轉台上拉行李，她念大二的女兒站在一旁袖手旁觀，沒有幫忙。她的女兒聰明、漂亮，但沒有人緣，因為她很自私，上巴士後便把椅背扳到最大的程度，幾乎躺入後面人的懷中，別人抗議她充耳不聞。吃飯時很挑食，沒有她喜歡的菜，便吃白飯，讓主辦人難堪；若是喜歡的，便整盤端起來，倒一半到她自己盤中，母親並不出聲阻止，令我們面面相覷，好像在讀《二十年目睹之怪現象》中的一章。

其實，「教養」，教在養之前，就表示教比養重要，養而不教是對不起社會，因為孩子會成為社會負擔。這位母親年輕時曾經獨自去國外讀書，內心對孩子有愧疚，所以現在事事順著她來補償。殊不知這是害了她，沒有教養的孩子不討人喜歡，能力再好，沒人敢用。

我跟同事講這一路上的奇聞時，他給我看《中國新聞周刊》上登載的〈禮義之邦的教養問題〉：「一個號稱『禮義之邦』的文明古國為什麼會成為教養指數低下的負面樣板？什麼時候中國人把粗鄙當做豪情，把無知當做樸素，把暴力當做革命，把無禮當做反叛？」令我心有戚戚焉。

教養是文明人的定義，是宋明理學家所謂的慎獨、不欺心。法國路易十五的財政大臣說得好：「一個國家的富強與否，不在它的疆域與兵力，而在它國民的品質。」這個國民的品質就是個人的素養，文化就是人民集體的素養。我們已失去良久了，大家要趕快努力把它找回來。(《人間福報》二〇〇八年八月二十五日)

6 兩百「千」是多少？

在報上看到花蓮中城國小的老師把一個原住民的孩子屁股打成紫色，只因為孩子不會背《論語》，看了真是駭然。原住民的母語不是漢語，叫他們在小學智慧還沒開時去背《論語》，就跟要求我們漢人的小學生去背莎士比亞的劇本一樣，是殘忍，不人道的。

語言是認知的基礎，曾經有老師質疑原住民的孩子笨，數學教不會，他們完全沒有考慮到原住民語言對數字的標示法與漢語不同。有個研究發現雅美族的數字名稱比漢語複雜，比如說，一是 asa，二是 dowa，三是 atlo，但是十一、十二中的「十」卻是 icarwana，所以十一是 asa icarwana，十二是 adowa icarwana，變成七個音節了；而二十的「十」唸做 ngnangarnan，所以二十唸成 adowa ngnangarnan，三十是 atlowa ngnangarnan。十一他們是先唸「一」（asa）再唸「十」（icarwana），和阿拉伯數字的寫法正好相反，對初學算數的孩子來說，要經過一層轉換。他們學得慢不是笨，而是他們數字概念的表徵與文字表徵不合。

其實，有另外一個例子可以更好的說明這一點。我們中國人是以萬為單位，所以一萬是一後面有四個零，但是外國人是以千為單位，所以他們說 ten thousand，10後面三個零。中國留學生初去美國時，聽到 two hundred thousand 都要停頓下來想一下，才知道兩百「千」是二十萬。這就是所謂「語言相對論」，當大腦表徵與外界表徵不符時，認知的運作會慢下來。文字符號幫助人類克服認知的瓶頸，但是也會影響人類認知的速度與策略。

一個去原住民學校教書的老師一定要對當地文化有所了解，不可用漢人大沙文主義的觀點強迫他們一定要馬上跟漢人小孩一樣。我也不解小學生為什麼要背《論語》，還不懂意思，背了有什麼用呢？過去台灣有很多的迷思，誤以為小孩子的記憶力比大人好，要趁小時背書。其實德國蒲朗克研究院的實驗已經說明大人的記憶還是比小孩好，大人會遺忘多是受到同質性的干擾而非記憶力不行。

小學生最先應該教的是德育和體育，柏拉圖在他的《理想國》中寫道，二十歲以前只要音樂和體育兩種功課，有了健強的體魄，所學的知識才有用出來的機會；音樂陶冶性情，先做了好人才做好的讀書人。看到那個被打成紫屁股的孩子，心中真是非常不忍。

請大人放下身段，蹲下來，從孩子的眼光來看世界吧！童年一逝不復返，趁他們還小，不懂得爾虞我詐、不會勾心鬥角時，讓他們享受一下人生、遊戲一下吧。有了強健的身體，有了好品德，他有一生的時間去念書充實自己，不要在國小就把他們打成看到學校、看到文字就害怕。背不出漢人的古書不是罪過，有需要把他的屁股打爛嗎？（《天下》雜誌第三八九期，二〇〇八年一月十六日）

7 孩子最需要安全感

報載雲林有個女孩，母親生下她後便被遣返大陸，父親把她交給保母後便消失不見，免費帶這孩子六年的保母因為孩子該上幼稚園了想替她報戶口，便去警察局求助，想不到這一下弄巧成拙，社會局強制將孩子送到孤兒院去。孩子在陌生環境每天啼哭，保母跪下求情，想把孩子接回來住，社會局職員卻按「無依兒童及少年安置處理辦法」規定處理，不予通融。我看了不能相信處理兒童福利的官員會做這種事，難道他們不了解幼年創傷對孩子一生的影響嗎？

孩子在成長的過程中，最需要的是安全感，早在半個世紀前，實驗者就知道幼年分離對孩子的傷害：小鼠一出生每天與母親隔離三到六小時，連續兩週時，牠的心跳、體溫會降低，對外界刺激會不警覺，對周遭事物冷漠、不反應，眼睛流露出空洞的眼神；牠們體內會分泌出大量的糖性類皮質酮，這種壓力荷爾蒙的長期出現會殺死管記憶海馬迴的神經細胞，產生長久性的壓力症候群。北歐先進國家為什麼希望父母在孩子進學前，在家中自己帶孩子，就是看到現在的一點投資（由政府補貼父母零用錢），以後可以避免很多的社會成本。

其實這孩子不需要立即從保母身邊抽離，政府可以一邊調查尋找孩子的父母，一邊讓孩子在安全的環境中繼續生活，畢竟除了符合僵化的條文之外，抽離孩子並沒有為任何一方帶來任何一點好處，又何苦損人不利己呢？

孤兒院的情形很多人不了解，最近去一所小學演講，看到一個小學生因偷別人的早飯吃被罰，才知道教育局現在規定不准體罰，孤兒院便以餓飯做為懲罰的方式。一百多年前夏綠蒂・勃朗特（Charlotte Bronte）在《簡愛》（*Jane Eyre*）中所描述的孤兒院生活方式現在仍存在。我所看到的那個孩子是因為功課考不好，前一天晚上便不准吃晚飯，第二天早上《聖經》背不出來又不准吃早飯，逼得孩子偷同學的早飯吃。

每個團體有每個團體管教的方式，我們外人無能為力，但是在保母家，這孩子是溫暖、有安全感的，社會局的官員是依法做事沒錯，但是法律不外人情，若有不傷害孩子的方式時，何不法外開恩呢？近年來，因為上面的人不肯擔責任，下面的人就不敢做事，若要做什麼事都按規章來，為保護自己把法律變得毫無彈性，這就失去保護無依兒童的立法精神了。

安全感是所有動物生存的第一個條件，沒有了安全感，再甜的糖、再新奇玩具都不會有興趣。連已有社會經驗的大人都需要安全感，我們看到許多大人初到異國，人生地不熟時，身體會便秘，晚上會做被人追或掉下深淵的惡夢，這是壓力荷爾蒙分泌太多的關係。我沒想到彌猴「妞妞」的事件在送掉李老先生一條命後竟然又重演，我們的社會真是太健忘、太不能接受教訓了。

五、六年前，台北的李老先生疼愛一隻彌猴，把牠當自己女兒看待，不幸妞妞被保育人員發現強行帶走，送到屏東，李老先生受此打擊不久便過世了。像這樣一生為國奉獻的老兵，我們沒有辦法讓他安養天年，連唯一的心靈寄托也把他拿走，於心何忍？保育不就是保護生育嗎？妞妞在哪裡會得到比李家更好的照顧呢？「無依兒童安置處理條例」的目的，不就是給孤兒一個安身立命的地方嗎？有什麼地方比照顧她六年的保母家更像家呢？（《金門日報》二〇〇八年一月）

8 讓孩子知道你愛他

很多父母都認為，給孩子吃、給孩子穿、給他零用錢花就是盡了父母的責任，比較少顧及孩子心中的感受。加上中國人比較含蓄，感情深藏不外露，所以很多孩子在成長的過程中感受不到父母對他的愛與關心。當被問及「父母關心你嗎？」很多孩子回答的是「他們只關心我的考試分數」，講這句話時，個性比較強的孩子滿臉是倔強，個性弱的孩子就泫然欲泣了。我們常忽略「愛」的力量、忽略「家」對孩子的重要性。

很早以前，還在美國教書時，看了一部司琴高娃的片子，講抗戰時在東北長白山中打游擊的一個傷兵，掉了部隊，家鄉對他的呼喚使他逃過日本人的追捕，千山萬水吃盡苦頭，一步一步只為了回家。那時因為自己也是離鄉背井的遊子。雖然已在異鄉成家立業了，但是心理上還不能把美國當家，所以很能感同身受，與劇中人起共鳴，覺得如果是我，也會這樣做。家是不計一切辛苦，一定要回去的地方。人必須經過大風大浪，閱歷多了，才會看破紅塵，才能接受「埋骨何需桑梓地，人間到處有青山」的無奈。

父母替孩子經營一個家，讓他平安長大，午夜夢迴時，給他一個地方可去，實在是非常重要的。我二十二歲離家，如今也四十個年頭了，如果我夢到回家，那絕對是我小時候住的日本式房子，在我心目中，父母在的地方才是家。

至於父母對孩子的愛，或是說，孩子所感受到父母對他的愛，更是支撐他度過生命難關的力量。今年去美國開神經學會時，一位演講者敞開了她的心扉，講她今天能成名的原因。原來她小時候長得醜，又排行老四，沒有人注意她，功課雖然也努力念，但不出色，她總是很抑鬱，不知自己為什麼要活著。她屢次想討好母親，但是每次都弄巧成拙，馬屁拍到馬腿上，更使她痛恨自己的無能。

她小時候身體不好，常生病（現在我們知道心情不好會壓抑免疫系統），有一天因病請假在家，突然發現窗外的玉蘭花開了，她知道母親喜歡香花，於是便爬到三樓的陽台欄杆上採玉蘭花，想不到手伸太長、重心不穩，從三樓頭朝下跌了下去，腦震盪昏迷不醒。她一直聽到耳朵旁邊有人叫她，決定醒來看一下是誰這麼煩，眼睛睜開時，才發現原來是她母親，因為醫生交代說不能讓她睡著，母親便在床邊叫了三天三夜她的名字。她說那一剎那，她知道母親是愛她的，過去的想法是錯的，她的身體就像湧出一股活泉似的，想要趕快好起來享受母親的愛。從那以後，她讀書像開了竅一樣，功課突飛猛進，過去的陰霾一掃而空，愛使她的生命有了目標，一路唸上來最後成為教授。我聽了好驚訝，我不知道心中覺得有人愛竟有這麼大的力量。

很巧的是，在回程的飛機上看了一本書《時光旅人》（*Time Traveler*，中譯本天下遠見出版），也是講一個貧民窟的黑人孩子怎麼變成美國極少數的黑人物理學家。原來他十歲時，才三十六歲的父親因心臟病過世。他父親那時正要自己獨立出來開電器修理行，父親描述了一個非常美好的遠景，要讓他以後繼承他的衣缽。父親的驟然消失，使孩子茫然不知生命要幹什麼，恨不能替父親去死。他自暴自棄逃學了三年，有一天看到一部《時光機器》的科幻電影，就想製造一部時光機器回到未來，去警告他父親：某年某月某日，你會死於心臟病，現在趕快照顧你的身體。

這個回到未來找他父親的強烈意願使他重新拾起課本，開始去讀別人認為黑人沒有辦法讀的物理學。他節省午餐費買愛因斯坦的書來啃，沒有錢唸大學，他先去當兵，利用退伍軍人就學法案免費進入大學唸物理，最後終於當上物理學教授，如願研究時光機器，成為這方面的專家。他母親八十二歲生日時，他回到家鄉去看她，跟她道歉說，他還沒有做出時光機器，還不能回去找他爸爸。他母親說：「不必了，我已在你身上看到你爸爸了。」在求學就業這一路上，因為他是黑人，吃盡了苦頭，但是他皮夾中那張父親牽著他的手在公園的相片支持他咬牙往前走，他對父親的愛實現了一般黑人所不敢做的夢。

這兩個故事都讓我們看到，「家」和「父母的愛」是孩子面對人生風浪最大的支持力。做父母的為什麼不敢讓孩子感受到我們對他的愛呢？對很多人來說，把愛掛在嘴邊很不習慣，但是可以在行動中讓孩子感受到。今天，就對你孩子笑一笑，拍拍他的肩，摸摸他的頭吧！（《金門日報》二〇〇八年四月）

9 教孩子保護自己

看到報上又有女老師在與男友熱戀時，拍下不堪入目的裸照，分手後，男友將裸照上網，傳給普羅大眾看，逼得女老師調校的新聞，真是很感慨。先不說男的卑鄙無恥，且說這位女老師念到大學畢業，且為人師表，為何不懂得人性，不會保護自己呢？層出不窮的類似事件，令人越來越不安。或許我們的教育先不必爭各科每週要幾節數，先教孩子一些現實生活與人性的事吧！

我們常說政治沒有永遠的敵人，惟利是圖，其實在世風日下生活中的老百姓又何嘗不是如此？好的時候如膠似漆，不好的時候反臉無情。報紙三不五時就有為了保險金謀殺枕邊人、自家兄弟的新聞。我們一定要教孩子不可盡信別人，更不可做見不得人的事。「天知、地知、你知、我知」，只要做了，就一定有人會知道。若有把柄落在別人手上，一輩子就被人牽著鼻子走，這種被勒索的痛苦更甚於飢寒。

勒索的歷史和人類一樣悠久，因為欺軟怕硬、喜歡不勞而獲是人的天性，而且不論他發過什麼毒誓，一旦沒錢時，誓言立刻拋到九霄雲外，這原因是演化為了使我們生存下去，它使大腦對有好處的地方記得非常好。我們的祖先在某處採過甜美的漿果，記得地點，明年再來，就會有水果吃。我們都有這樣的經驗，考填空題時，不記得答案是什麼，卻記得它在書的右下角；我們在某處撿到錢，會常回去看還有沒有，雖然明知再有的機率很低，還是會去看一下。這就是大腦對有好處的地方會立刻登錄下來，以備不時之需。「守株待兔」不是笨，它是有大腦的原因的。

因此，勒索的人一旦錢財用光，他的大腦就會指示他再去勒索，因為那正是上次嚐到甜頭的地方。甚至被勒索人已被他榨乾了，勒索者的大腦仍然指示他再去要，口氣還會更凶狠，因為已榨乾的水果必須雙倍力氣才會有一滴汁出來。因此，許多預謀的謀殺案都是因為勒索而起。當已無力給付，而對方仍然威脅要曝光時，那麼只有死路一條。既然是死，就把害了我多年的人一起帶走，至少死得甘心些。我們看到這些人臨上法場都沒有悔意。所以父母一定要教孩子不可做見不得人的事，預防被人勒索報復。

看到現在的大學生社會知識如此不足，很是憂心，在這人心險惡的社會，教孩子保護自己比教他課本知識重要多了。或許我們應該重新考慮一下知識與生活教育的比重了。（《人間福報》二〇〇八年十一月三日）

國家圖書館出版品預行編目資料

順理成章：希望，給生命力量／洪蘭著.
-- 初版. -- 臺北市：遠流, 2009.02
面；　公分. --（大眾心理館；407
洪蘭作品集；7. 講理就好；7）

ISBN 978-957-32-6432-3（平裝）

1. 言論集

078　　　　97025517

華文閱讀・第一選擇

YLib.com 遠流博識網

榮獲1999年 網際金像獎"最佳企業網站獎"
榮獲2000年 第一屆e-Oscar電子商務網際金像獎
"最佳電子商務網站"

互動式的社群網路書店

YLib.com 是華文【讀書社群】最優質的網站
我們知道，閱讀是最豐盛的心靈饗宴，
而閱讀中與人分享、互動、切磋，更是無比的滿足

YLib.com 以實現【Best 100— 百分之百精選好書】爲理想
在茫茫書海中，我們提供最優質的閱讀服務

YLib.com 永遠以質取勝！
敬邀上網，
歡迎您與愛書同好開懷暢敘，並且享受 YLib 會員各項專屬權益

Best 100- 百分之百最好的選擇

Best 100 Club 全年提供600種以上的書籍、音樂、語言、多媒體等產品，以「優質精選、名家推薦」之信念爲您創造更新、更好的閱讀服務，會員可率先獲悉俱樂部不定期舉辦的講演、展覽、特惠、新書發表等活動訊息，每年享有國際書展之優惠折價券，還有多項會員專屬權益，如免費贈品、抽獎活動、佳節特賣、生日優惠等。

優質開放的【讀書社群】 風格創新、內容紮實的優質【讀書社群】— 金庸茶館、謀殺專門店、小人兒書鋪、台灣魅力放送頭、旅人創遊館、失戀雜誌、電影巴比倫……締造了「網路地球村」聞名已久的「讀書小鎭」，提供讀者們隨時上網發表評論、切磋心得，同時與駐站作家深入溝通、熱情交流。

輕鬆享有的【購書優惠】 **YLib** 會員享有全年最優惠的購書價格，並提供會員各項特惠活動，讓您不僅歡閱不斷，還可輕鬆自得！

豐富多元的【知識芬多精】 **YLib**提供書籍精彩的導讀、書摘、專家評介、作家檔案、【Best 100 Club】書訊之專題報導……等完善的閱讀資訊，讓您先行品嚐書香、再行物色心靈書單，還可觸及人與書、樂、藝、文的對話、狩獵未曾注目的文化商品，並且汲取豐富多元的知識芬多精。

個人專屬的【閱讀電子報】 **YLib**將針對您的閱讀需求、喜好、習慣，提供您個人專屬的「電子報」— 讓您每週皆能即時獲得圖書市場上最熱門的「閱讀新聞」以及第一手的「特惠情報」。

安全便利的【線上交易】 **YLib** 提供「SSL安全交易」購書環境、完善的全球遞送服務、全省超商取貨機制，讓您享有最迅速、最安全的線上購書經驗